2학년 ①

· 두 자리 수 덧셈 ·

지은이의 말

수학은 원리로부터

수학은 구체물의 관계를 숫자와 기호의 약속으로 나타내는 추상적인 학문입니다. 이 점이 아이들이 수학을 어려워하는 가장 큰 이유입니다. 이러한 수학은 제대로 된 이해를 동반할 때 비로소 힘을 발휘할 수 있습니다. 수학은 어느 단계에서나 원리가 가장 중요합니다.

수학 교육의 변화

답을 내는 방법만 알아도 되는 수학 교육의 시대는 지나고 있습니다. 연산도 한 가지 방법만 반복 연습하기 보다 다양한 풀이 방법이 중요합니다. 교과서는 왜 그렇게 해야 하는지 가르쳐 주고 다양한 방법을 생각하도록 하지만, 학생들은 단순하게 반복되는 연습에 원리는 잊어버리고 기계적으로 답을 내다보니 응용된 내용의 이해가 부족합니다.

연산 학습은 꾸준히

유초등 학습 단계에 따라 4권~6권의 구성으로 매일 10분씩 꾸준히 공부할 수 있습니다. 원리와 다양한 방법의 학습은 그림과 함께 재미있게, 연습은 다양하게 진행하되 마무리는 집중하여 진행하도록 했습니다. 부담 없는 하루 학습량으로 꾸준히 공부하다 보면 어느새 연산 실력이 부쩍 늘어난 것을 알 수 있습니다.

개정판 원리셈은

동영상 강의 확대/초등 고학년 원리 학습 과정 강화 등으로 교과 과정을 완벽하게 대비할 수 있도록 원리와 개념, 계산 방법을 학습합니다. 단계별 원리 학습은 물론이고 연습도 강화했습니다.

학부모님들의 연산 학습에 대한 고민이 원리셈으로 해결되었으면 하는 바람입니다.

지은이 천종현

원리셈의 특징

✔ 원리셈의 학습 구성

한 권의 책은 매일 10분 / 매주 5일 / 6주 학습

✔ 원리셈의 시나브로 강해지는 학습 알고리즘

초등 원리셈은

시작은 원리의 이해로부터, 마무리는 충분한 연습과 성취도 확인까지

✔ 체계적인 학습 구성

쉽게 이해하고 스스로 공부!
실수가 많은 부분은 별도로 확인하고 연습!
주제에 따라 실전을 위한 확장적 사고가 필요한 내용까지!
원리로 시작되는 단계별 학습으로 곱셈구구마저 저절로 외워진다고 느끼도록!

원리셈 전체 단계

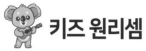 키즈 원리셈

 초등 원리셈

초등 원리셈의 단계별 학습 목표

원리와 연습을 모두 잡는 원리셈!!

학년별 학습 목표와 다른 책에서는 만나기 힘든 특별한 내용을 확인해 보세요.

● 1학년 원리셈

모든 연산 과정 중 실수가 가장 많은 덧셈, 뺄셈의 집중 연습
여러 가지 계산 방법 알기
덧셈, 뺄셈의 관계를 이용한 '□ 구하기'의 이해

● 2학년 원리셈

두 자리 덧셈, 뺄셈의 여러 가지 계산 방법의 숙지와 이해
곱셈 개념을 폭넓게 이해하고, 곱셈구구를 힘들지 않게 외울 수 있는 구성
나눗셈은 3학년 교과의 내용이지만 곱셈구구를 외우는 것을 도우면서 곱셈구구의 범위에서 개념 위주 학습

● 3학년 원리셈

기본 연산은 정확한 이해와 충분한 연습
곱셈, 나눗셈의 관계를 이용한 '□ 구하기'의 이해
분수는 학생들이 어려워 하는 부분을 중점적으로 이해하고, 연습하도록 구성

● 4학년 원리셈

작은 수의 곱셈, 나눗셈 방법을 확장하여 이해하는 큰 수의 곱셈, 나눗셈
교과서에는 나오지 않는 실전적 연산을 포함
많이 틀리는 내용은 별도 집중학습

● 5학년 원리셈

연산은 개념과 유형에 따라 단계적으로 학습 후 충분한 연습
약수와 배수는 기본기를 단단하게 할 수 있는 체계적인 구성

● 6학년 원리셈

분수와 소수의 나눗셈은 원리를 단순화하여 이해
비의 개념을 확장하여 문장제 문제 등에서 만나는 비례 관계의 이해와 적용
비와 비례식은 중등 수학을 대비하는 의미도 포함. 강추 교재!!

2학년 구성과 특징

1권~3권에서 두 자리 수 덧셈과 뺄셈, 4권~6권에서는 곱셈과 나눗셈의 개념을 공부합니다. 덧셈과 뺄셈은 원리를 이용한 여러 가지 가로셈의 계산과 속도를 위한 세로셈의 계산을 다양한 형태로 적절히 배분하였습니다. 나눗셈은 3학년 내용이지만 6권에서 나눗셈의 개념을 활용하여 곱셈구구의 연습이 되도록 구성했습니다.

원리

수 모형, 동전 등을 이용하여 원리를 직관적으로 이해하고 쉽게 공부할 수 있도록 하였습니다.

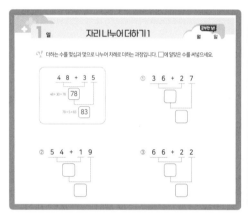 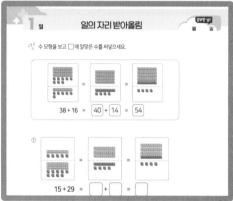

다양한 계산 방법

다양한 계산 방법을 공부함으로써 수를 다루는 감각을 키우고, 상황에 따라 더 정확하고 빠른 계산을 할 수 있도록 하였습니다.

 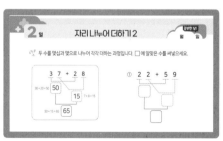

연습

학습 순서를 원리를 생각하며 연습할 수 있도록 배치하였고, 이해를 도울 수 있는 소재 및 그림과 함께 연습한 후, 숫자와 기호로 된 문제도 꾸준히 반복할 수 있도록 하였습니다

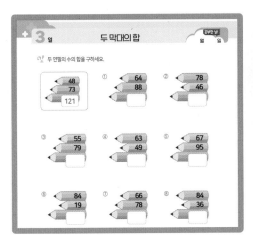

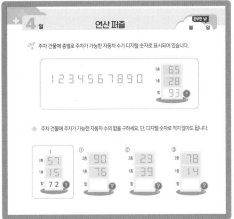

도전! 계산왕

주제가 구분되는 두 개의 단원은 정확성과 빠른 계산을 위한 집중 연습으로 주제를 마무리 합니다.

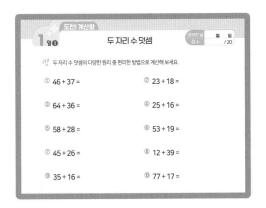

성취도 평가

개념의 이해와 연산의 수행에 부족한 부분은 없는지 성취도 평가를 통해 확인합니다.

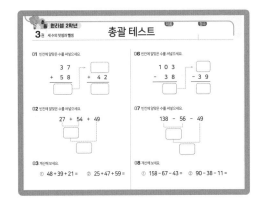

원리샘 100% 활용하기

✔️ 책의 사이사이에 학생의 학습을 돕기 위한 저자의 내용을 잘 이용하세요.

📖 단원의 학습 내용과 방향

한 주차가 시작되는 쪽의 아래에 그 단원의 학습 내용과 어떤 방향으로 공부하는지를 설명해 놓았습니다.
학부모님이나 학생이 단원을 시작하기 전에 가볍게 읽어 보고 공부하도록 해 주세요.

 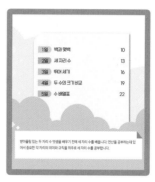

📚 이해를 돕는 저자의 동영상 강의

처음 접하는 원리/개념과 연산 방법의 이해를 돕기 위한 동영상 강의가 있으니 이해가 어려운 내용은 QR코드를
이용하여 편리하게 동영상 강의를 보고, 공부하도록 하세요.

학습 동영상

📘 학습 Tip   간략한 도움글은 각 쪽의 아래에 있습니다.

✍️ 천종현수학연구소 네이버 카페와 홈페이지를 활용하세요.

카페와 홈페이지에는 추가 문제 자료가 있고, 연산 외에서 수학 학습에 어려움을 상담 받을 수 있습니다.

네이버에서 **천종현수학연구소**를 검색하세요.

· **1**주차 ·
세 자리 수

받아올림 있는 두 자리 수 덧셈을 배우기 전에 세 자리 수를 배웁니다. 연산을 공부하는데 있어서 중요한 각 자리의 의미와 규칙을 위주로 세 자리 수를 공부합니다.

🌱 100을 나타내는 것에 모두 ◯표 하세요.

99보다 1 큰 수를 100이라 하고 백이라 읽습니다.

100은 10개씩 10묶음입니다.

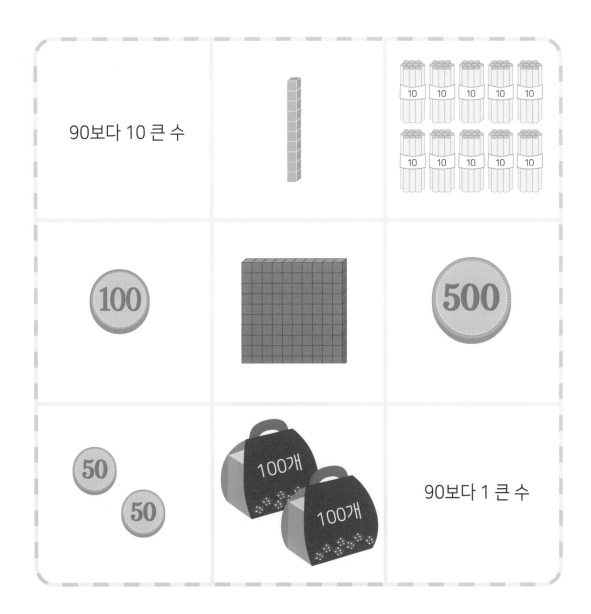

□에 알맞은 수를 써넣으세요.

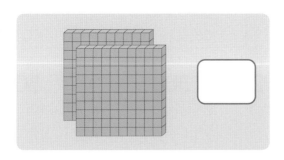

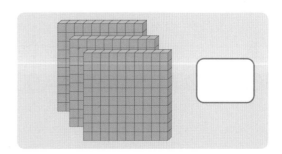

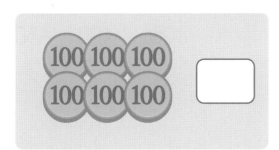

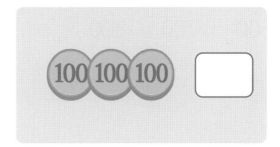

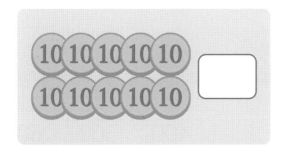

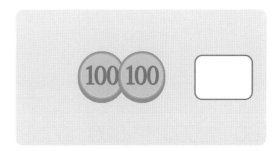

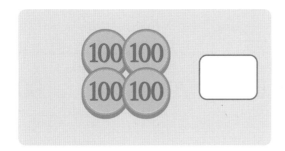

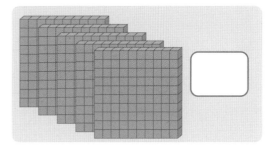

🎈 ◻에 알맞은 수를 써넣으세요.

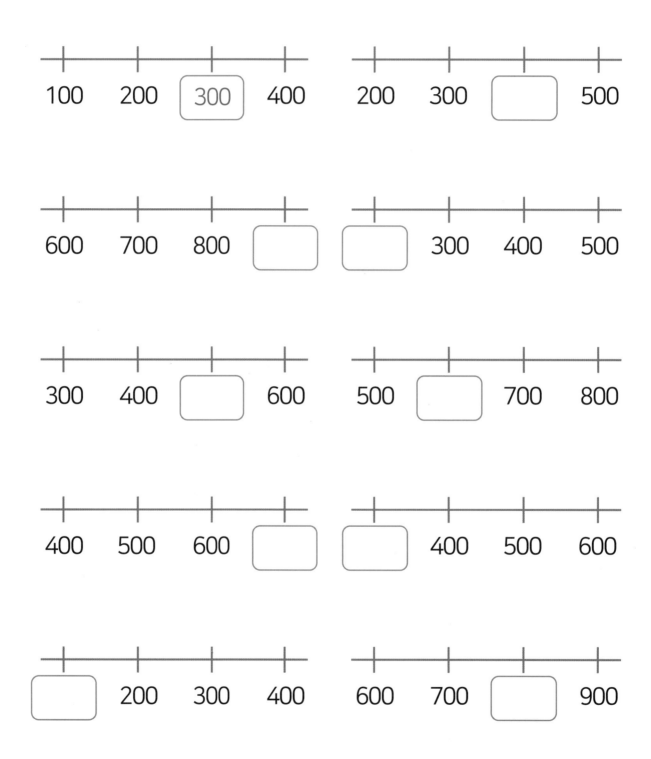

100 200 [300] 400   200 300 [ ] 500

600 700 800 [ ]   [ ] 300 400 500

300 400 [ ] 600   500 [ ] 700 800

400 500 600 [ ]   [ ] 400 500 600

[ ] 200 300 400   600 700 [ ] 900

세 자리 수

☝️ □에 알맞은 수를 써넣으세요.

200	30	4	➡ 234

			➡

			➡

			➡

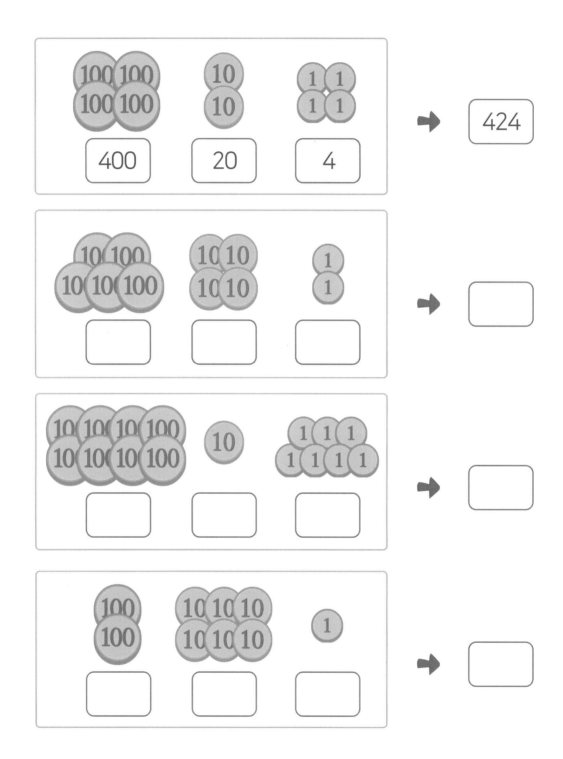

□에 알맞은 수를 써넣으세요.

400   20   4   ➡ 424

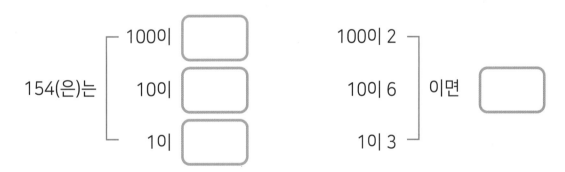에 알맞은 수를 써넣으세요.

271(은)는 ┌ 100이 [2]
├ 10이 [7]
└ 1이 [1]

100이 3 ┐
10이 4 ├ 이면 [345]
1이 5 ┘

628(은)는 ┌ 100이 [ ]
├ 10이 [ ]
└ 1이 [ ]

100이 4 ┐
10이 1 ├ 이면 [ ]
1이 8 ┘

154(은)는 ┌ 100이 [ ]
├ 10이 [ ]
└ 1이 [ ]

100이 2 ┐
10이 6 ├ 이면 [ ]
1이 3 ┘

946(은)는 ┌ 100이 [ ]
├ 10이 [ ]
└ 1이 [ ]

100이 8 ┐
10이 1 ├ 이면 [ ]
1이 9 ┘

뛰어 세기

😀 빈 곳에 알맞은 수를 써넣으세요.

100씩 뛰어 세기 : 350, 450, 550, 650, 750, 850

10씩 뛰어 세기 : 640, ( ), 660, ( ), 680, ( )

1씩 뛰어 세기 : ( ), 274, 275, ( ), ( ), 278

100씩 뛰어 세기 : 168, ( ), ( ), 468, 568, ( )

10씩 뛰어 세기 : ( ), 330, ( ), 350, ( ), 370

빈 곳에 알맞은 수를 써넣으세요.

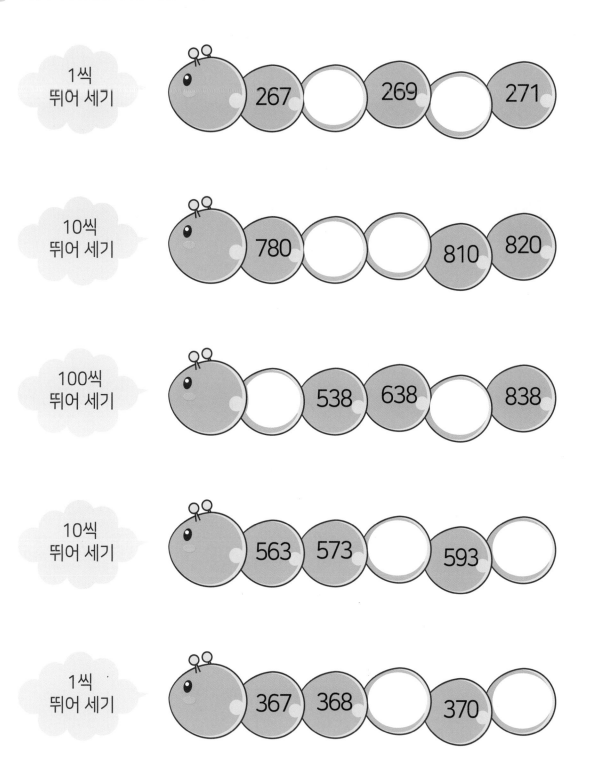

1씩
뛰어 세기

267 [ ] 269 [ ] 271

10씩
뛰어 세기

780 [ ] [ ] 810 820

100씩
뛰어 세기

[ ] 538 638 [ ] 838

10씩
뛰어 세기

563 573 [ ] 593 [ ]

1씩
뛰어 세기

367 368 [ ] 370 [ ]

몇씩 뛰어 세었는지 ☐에 써넣으세요.

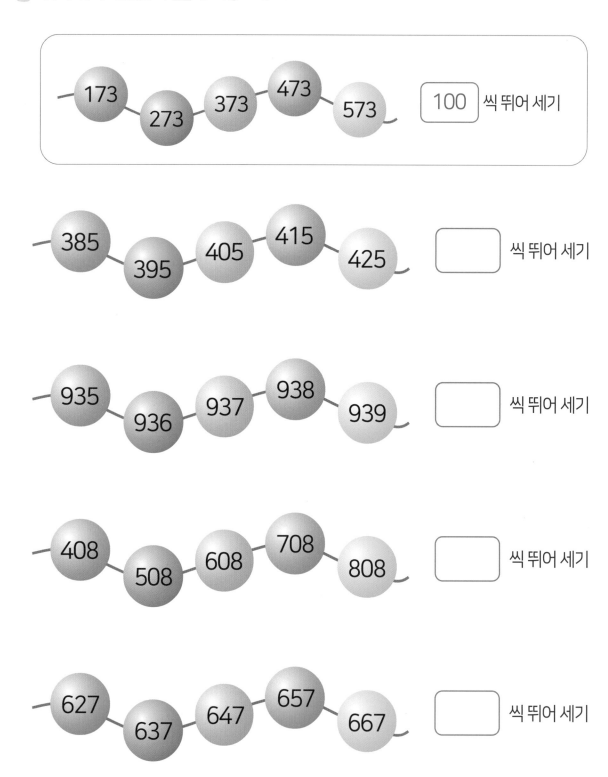

173 273 373 473 573   [100]씩 뛰어 세기

385 395 405 415 425   [   ]씩 뛰어 세기

935 936 937 938 939   [   ]씩 뛰어 세기

408 508 608 708 808   [   ]씩 뛰어 세기

627 637 647 657 667   [   ]씩 뛰어 세기

두 수의 크기 비교

두 수의 크기를 비교하여 ◯에 >, <를 알맞게 써넣으세요.

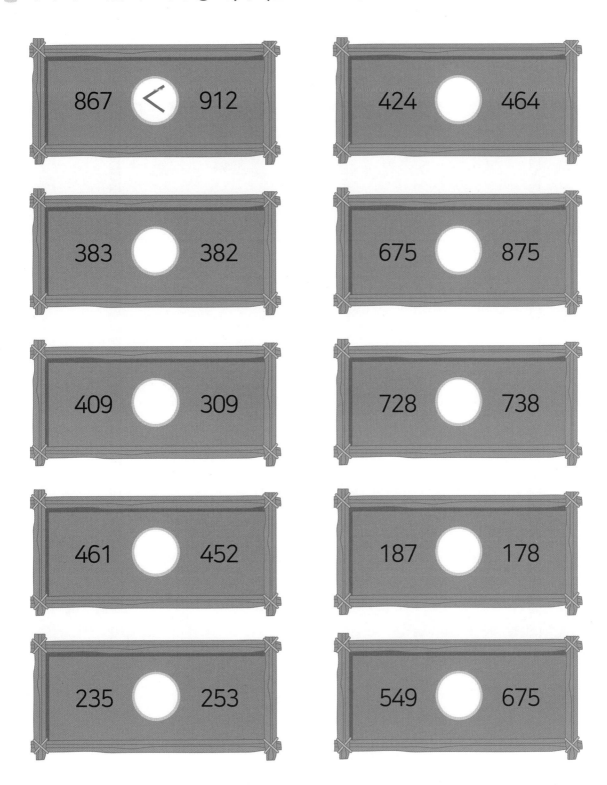

867 < 912

424 ◯ 464

383 ◯ 382

675 ◯ 875

409 ◯ 309

728 ◯ 738

461 ◯ 452

187 ◯ 178

235 ◯ 253

549 ◯ 675

각 줄에서 가장 큰 수에 ○표, 가장 작은 수에 ◇표 하세요.

671 711 151 941 945

364 378 464 478 487

540 617 671 657 539

826 816 786 861 768

숫자 카드 중 3장을 골라 가장 큰 세 자리 수와 가장 작은 세 자리 수를 각각 써넣으세요.

1 5 8 3 2

가장 큰 세 자리 수	가장 작은 세 자리 수
853	123

2 6 4 3 7

가장 큰 세 자리 수	가장 작은 세 자리 수

3 2 5 1 6

가장 큰 세 자리 수	가장 작은 세 자리 수

9 3 4 8 7

가장 큰 세 자리 수	가장 작은 세 자리 수

0 4 2 8 3

가장 큰 세 자리 수	가장 작은 세 자리 수

1 6 4 0 9

가장 큰 세 자리 수	가장 작은 세 자리 수

수 배열표

🔔 다음 수 배열표를 보고 ☐에 알맞은 수를 써넣으세요.

401	402	403	404	405	406	407	408	409	410
411	412	413	414	415		417	418	419	420
421		423	424	425		427	428	429	

651	652	653		655		657	658	659	660
661	662	663	664	665		667	668	669	
	672	673	674	675	676	677	678	679	680

	392	393	394	395	396	397	398	399	
	402	403	404	405	406		408	409	410
411	412		414	415	416	417	418	419	420

수 배열표의 일부분이 찢어졌습니다. 과일에 해당하는 수를 ☐에 써넣으세요.

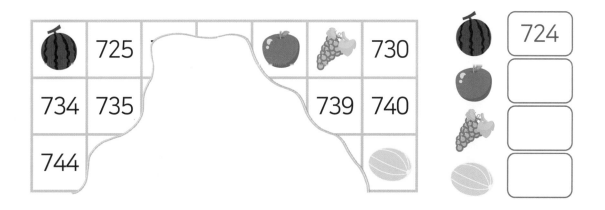

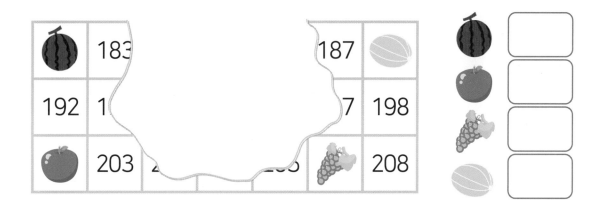

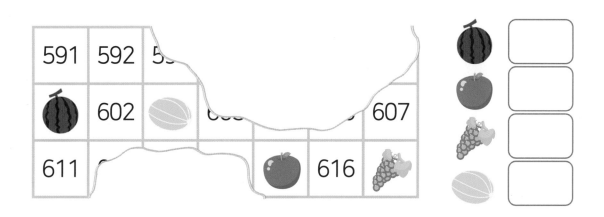

수 배열표의 일부분만 보입니다. 과자에 해당하는 수를 ☐에 써넣으세요.

첫 번째 표

104			🍪		109	110
	◼			⭐		
			🔺		129	130

⭐ 118
🍪 ☐
🔺 ☐
◼ ☐

두 번째 표

	🍪		⭐			
511				515		517
521		🔺			◼	

⭐ ☐
🍪 ☐
🔺 ☐
◼ ☐

세 번째 표

	◼	🍪		937		🔺
943						949
		955		⭐		

⭐ ☐
🍪 ☐
🔺 ☐
◼ ☐

• **2**주차 •
두 자리 수 덧셈의 원리

각 자리가 나타내는 수를 모으고, 가르는 방식으로 덧셈의 원리를 공부합니다. 원리를 이용하여 가로셈을 하는 것이 어렵게 느껴질 수는 있지만 수 감각을 기르기 위해 세로셈을 하기 이전에 원리를 이용한 가로셈을 공부하도록 하였습니다.

자리 나누어 더하기 1

동영상 해설

더하는 수를 몇십과 몇으로 나누어 차례로 더하는 과정입니다. □에 알맞은 수를 써넣으세요.

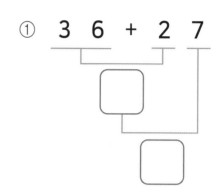

4 8 + 3 5

48 + 30 = 78 [78]

78 + 5 = 83 [83]

① 3 6 + 2 7

② 5 4 + 1 9

③ 6 6 + 2 2

④ 2 7 + 6 4

⑤ 1 9 + 5 8

😀 □에 알맞은 수를 써넣으세요.

①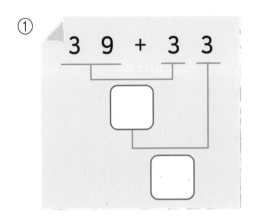

②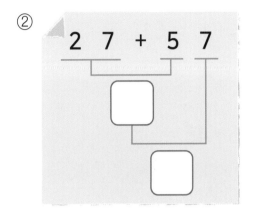

③

④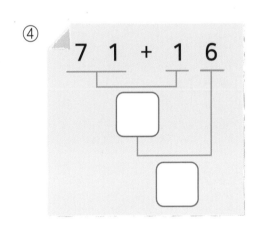

⑤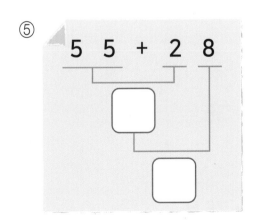

⑥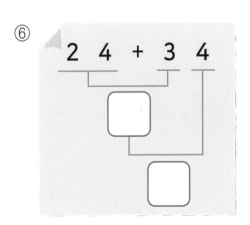

計 계산해 보세요.

$$44 + 17 = 61$$
54

① $17 + 24 =$

② $36 + 46 =$

③ $57 + 39 =$

④ $37 + 13 =$

⑤ $18 + 45 =$

⑥ $50 + 39 =$

⑦ $38 + 16 =$

⑧ $12 + 29 =$

⑨ $59 + 19 =$

⑩ $26 + 25 =$

⑪ $17 + 16 =$

⑫ $29 + 33 =$

⑬ $35 + 36 =$

⑭ $47 + 36 =$

⑮ $19 + 75 =$

자리 나누어 더하기 2

동영상 해설

두 수를 몇십과 몇으로 나누어 각각 더하는 과정입니다. □에 알맞은 수를 써넣으세요.

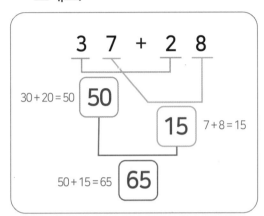

①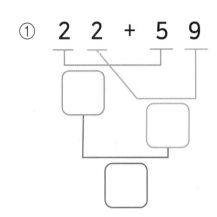

②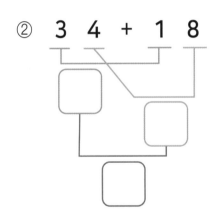

③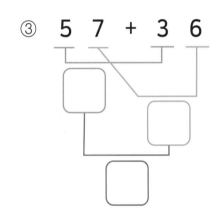

④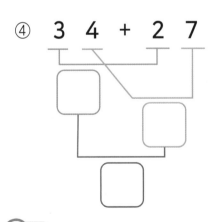

⑤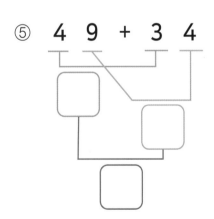

Tip
자리 나누어 더하기는 받아올림이 있는 덧셈의 기본으로 세로셈과 원리가 같습니다.

□에 알맞은 수를 써넣으세요.

①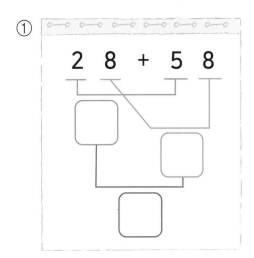
2 8 + 5 8

②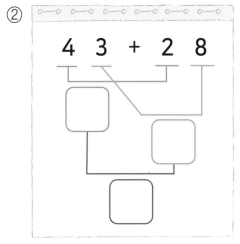
4 3 + 2 8

③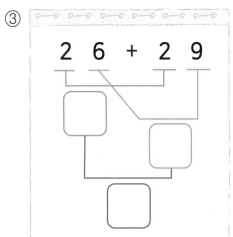
2 6 + 2 9

④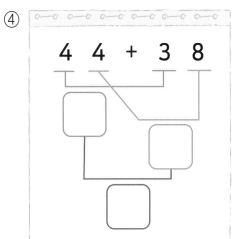
4 4 + 3 8

⑤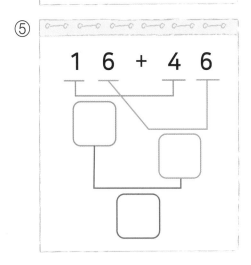
1 6 + 4 6

⑥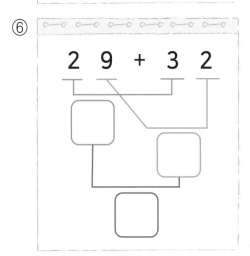
2 9 + 3 2

🐌 계산해 보세요.

$$18 + 47 = \quad 65$$
50 15

① 41 + 39 =

② 28 + 57 =

③ 62 + 24 =

④ 49 + 17 =

⑤ 66 + 29 =

⑥ 36 + 33 =

⑦ 44 + 38 =

⑧ 14 + 48 =

⑨ 57 + 15 =

⑩ 26 + 11 =

⑪ 54 + 29 =

⑫ 35 + 31 =

⑬ 69 + 11 =

⑭ 48 + 29 =

⑮ 65 + 26 =

몇십 만들어 더하기 1

한 수에 수를 주어 몇십을 만들어 더하는 과정입니다. □에 알맞은 수를 써넣으세요.

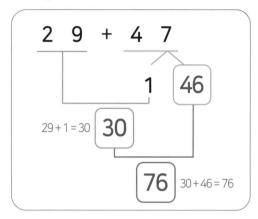

①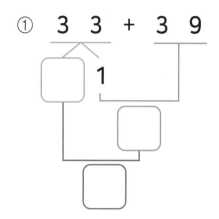

②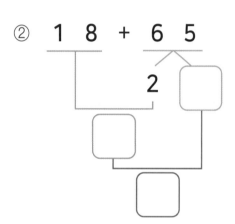

③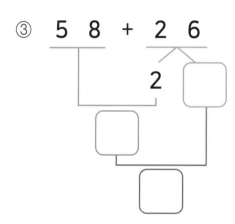

④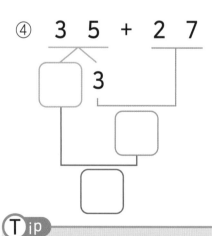

⑤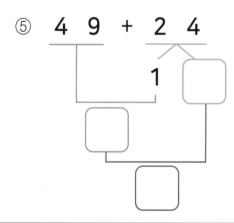

Tip

일의 자리 숫자가 7, 8, 9와 같이 10에 가까운 경우, 몇십 만들어 더하기를 하면 가로셈으로 편리하고 정확하게 계산할 수 있습니다.

□에 알맞은 수를 써넣으세요.

① 1 6 + 3 9

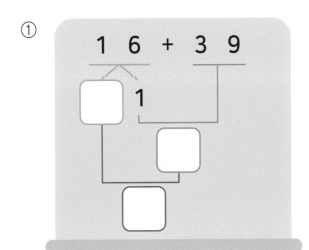

② 2 8 + 6 6

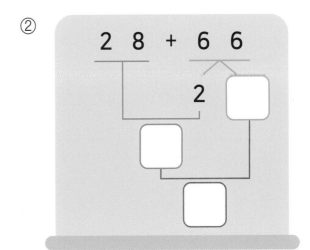

③ 3 7 + 1 4

④ 2 6 + 5 9

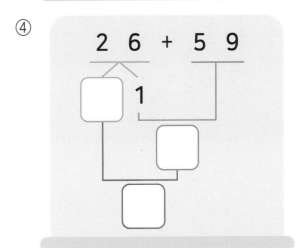

⑤ 6 9 + 1 2

⑥ 4 6 + 1 8

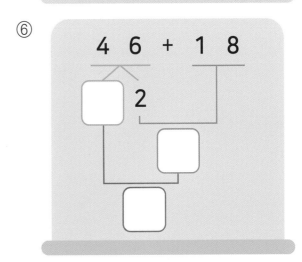

계산해 보세요.

$$28 + 35 = 63$$
30 ← ② → 33

① $29 + 25 =$

② $41 + 39 =$

③ $18 + 14 =$

④ $39 + 46 =$

⑤ $54 + 28 =$

⑥ $47 + 25 =$

⑦ $27 + 58 =$

⑧ $22 + 29 =$

⑨ $39 + 16 =$

⑩ $24 + 29 =$

⑪ $17 + 55 =$

⑫ $24 + 39 =$

⑬ $58 + 13 =$

⑭ $59 + 33 =$

⑮ $28 + 26 =$

몇십 만들어 더하기 2

💡 몇십으로 생각하여 더하고 부족한 만큼을 빼는 과정입니다. ☐에 알맞은 수를 써넣으세요.

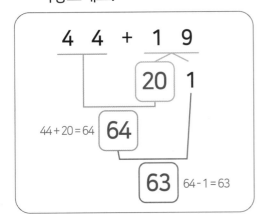

4 4 + 1 9

20 1

44 + 20 = 64   64

63   64 - 1 = 63

①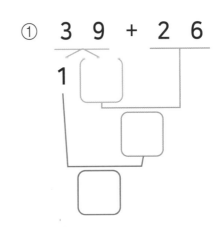

3 9 + 2 6

1

②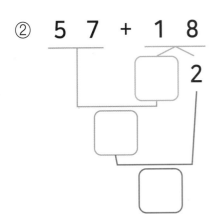

5 7 + 1 8

2

③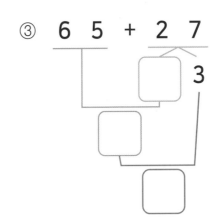

6 5 + 2 7

3

④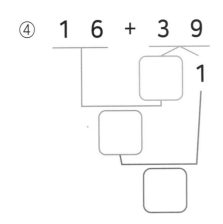

1 6 + 3 9

1

⑤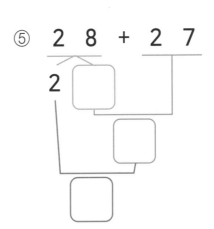

2 8 + 2 7

2

□에 알맞은 수를 써넣으세요.

①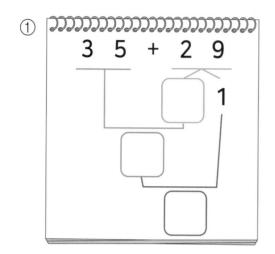

3 5 + 2 9

②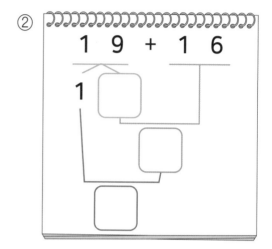

1 9 + 1 6

③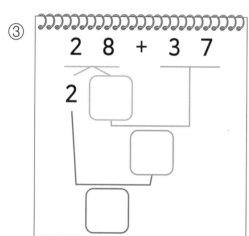

2 8 + 3 7

④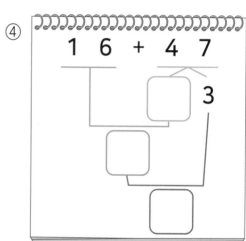

1 6 + 4 7

⑤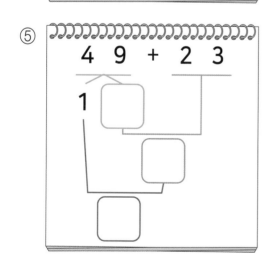

4 9 + 2 3

⑥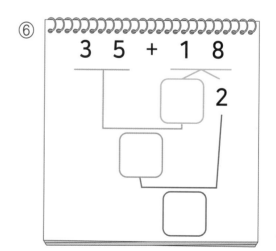

3 5 + 1 8

계산해 보세요.

19 + 46 = 65

① 48 + 14 =

② 26 + 28 =

③ 49 + 33 =

④ 27 + 49 =

⑤ 23 + 18 =

⑥ 58 + 17 =

⑦ 27 + 35 =

⑧ 68 + 15 =

⑨ 24 + 39 =

⑩ 11 + 49 =

⑪ 18 + 53 =

⑫ 17 + 55 =

⑬ 12 + 69 =

⑭ 46 + 19 =

⑮ 59 + 24 =

같은 위치의 수를 더해서 아래의 표를 완성하세요.

38	27	49
35	29	16
45	14	12

+

26	65	32
19	13	76
28	69	38

=

38 + 26 = 64

64		

같은 위치의 수를 더해서 아래의 표를 완성하세요.

26	33	51
18	63	76
14	15	55

+

55	28	24
42	27	18
29	46	19

=

계산 결과에 알맞게 길을 그려 보세요.

· **3**주차 ·
도전! 계산왕

두 자리 수 덧셈

🦔 두 자리 수 덧셈의 다양한 원리 중 편리한 방법으로 계산해 보세요.

① $46 + 37 =$

② $23 + 18 =$

③ $15 + 19 =$

④ $25 + 16 =$

⑤ $58 + 28 =$

⑥ $53 + 19 =$

⑦ $45 + 26 =$

⑧ $12 + 39 =$

⑨ $35 + 16 =$

⑩ $77 + 17 =$

⑪ $65 + 29 =$

⑫ $35 + 26 =$

⑬ $38 + 46 =$

⑭ $75 + 17 =$

⑮ $54 + 28 =$

⑯ $32 + 18 =$

⑰ $46 + 45 =$

⑱ $56 + 26 =$

⑲ $41 + 29 =$

⑳ $14 + 76 =$

두 자리 수 덧셈

💡 두 자리 수 덧셈의 다양한 원리 중 편리한 방법으로 계산해 보세요.

① $27 + 46 =$

② $37 + 25 =$

③ $58 + 13 =$

④ $28 + 35 =$

⑤ $68 + 17 =$

⑥ $67 + 26 =$

⑦ $53 + 29 =$

⑧ $59 + 23 =$

⑨ $78 + 13 =$

⑩ $39 + 15 =$

⑪ $29 + 36 =$

⑫ $28 + 25 =$

⑬ $68 + 14 =$

⑭ $48 + 34 =$

⑮ $33 + 39 =$

⑯ $38 + 26 =$

⑰ $47 + 26 =$

⑱ $19 + 14 =$

⑲ $27 + 15 =$

⑳ $68 + 25 =$

두 자리 수 덧셈

🦋 두 자리 수 덧셈의 다양한 원리 중 편리한 방법으로 계산해 보세요.

① $58 + 13 =$

② $25 + 57 =$

③ $46 + 37 =$

④ $58 + 38 =$

⑤ $27 + 26 =$

⑥ $64 + 28 =$

⑦ $23 + 38 =$

⑧ $46 + 38 =$

⑨ $25 + 65 =$

⑩ $68 + 17 =$

⑪ $75 + 18 =$

⑫ $46 + 36 =$

⑬ $52 + 19 =$

⑭ $24 + 38 =$

⑮ $35 + 56 =$

⑯ $15 + 76 =$

⑰ $45 + 26 =$

⑱ $38 + 13 =$

⑲ $62 + 18 =$

⑳ $44 + 27 =$

두 자리 수 덧셈

두 자리 수 덧셈의 다양한 원리 중 편리한 방법으로 계산해 보세요.

① $18 + 15 =$

② $64 + 19 =$

③ $45 + 26 =$

④ $77 + 16 =$

⑤ $78 + 16 =$

⑥ $27 + 17 =$

⑦ $17 + 23 =$

⑧ $28 + 26 =$

⑨ $68 + 23 =$

⑩ $42 + 18 =$

⑪ $19 + 46 =$

⑫ $38 + 16 =$

⑬ $38 + 53 =$

⑭ $39 + 25 =$

⑮ $47 + 26 =$

⑯ $37 + 34 =$

⑰ $27 + 65 =$

⑱ $49 + 24 =$

⑲ $29 + 16 =$

⑳ $56 + 15 =$

3일 ❶

두 자리 수 덧셈

🐌 두 자리 수 덧셈의 다양한 원리 중 편리한 방법으로 계산해 보세요.

① $66 + 16 =$

② $56 + 38 =$

③ $15 + 79 =$

④ $65 + 26 =$

⑤ $52 + 38 =$

⑥ $55 + 26 =$

⑦ $35 + 29 =$

⑧ $25 + 27 =$

⑨ $48 + 34 =$

⑩ $18 + 74 =$

⑪ $31 + 29 =$

⑫ $15 + 18 =$

⑬ $35 + 26 =$

⑭ $28 + 36 =$

⑮ $42 + 29 =$

⑯ $17 + 76 =$

⑰ $78 + 13 =$

⑱ $65 + 19 =$

⑲ $45 + 37 =$

⑳ $55 + 27 =$

3일 **②**

두 자리 수 덧셈

두 자리 수 덧셈의 다양한 원리 중 편리한 방법으로 계산해 보세요.

① $28 + 35 =$

② $49 + 26 =$

③ $68 + 13 =$

④ $78 + 15 =$

⑤ $47 + 14 =$

⑥ $38 + 19 =$

⑦ $27 + 54 =$

⑧ $68 + 23 =$

⑨ $43 + 29 =$

⑩ $35 + 36 =$

⑪ $29 + 19 =$

⑫ $47 + 34 =$

⑬ $68 + 14 =$

⑭ $59 + 25 =$

⑮ $67 + 23 =$

⑯ $48 + 36 =$

⑰ $28 + 15 =$

⑱ $39 + 23 =$

⑲ $65 + 29 =$

⑳ $44 + 18 =$

두 자리 수 덧셈

🐛 두 자리 수 덧셈의 다양한 원리 중 편리한 방법으로 계산해 보세요.

① $23 + 58 =$

② $26 + 25 =$

③ $55 + 19 =$

④ $78 + 14 =$

⑤ $23 + 39 =$

⑥ $36 + 36 =$

⑦ $18 + 16 =$

⑧ $28 + 16 =$

⑨ $47 + 37 =$

⑩ $35 + 49 =$

⑪ $34 + 27 =$

⑫ $23 + 57 =$

⑬ $54 + 18 =$

⑭ $58 + 22 =$

⑮ $24 + 37 =$

⑯ $65 + 17 =$

⑰ $25 + 25 =$

⑱ $27 + 65 =$

⑲ $47 + 26 =$

⑳ $55 + 36 =$

두 자리 수 덧셈

공부한 날 | 월 일
점수 | / 20

💡 두 자리 수 덧셈의 다양한 원리 중 편리한 방법으로 계산해 보세요.

① 19 + 47 =

② 48 + 13 =

③ 36 + 18 =

④ 38 + 53 =

⑤ 54 + 17 =

⑥ 78 + 14 =

⑦ 25 + 26 =

⑧ 37 + 46 =

⑨ 69 + 12 =

⑩ 24 + 66 =

⑪ 38 + 26 =

⑫ 48 + 25 =

⑬ 34 + 26 =

⑭ 32 + 39 =

⑮ 53 + 29 =

⑯ 35 + 49 =

⑰ 59 + 15 =

⑱ 48 + 16 =

⑲ 45 + 29 =

⑳ 45 + 36 =

두 자리 수 덧셈

두 자리 수 덧셈의 다양한 원리 중 편리한 방법으로 계산해 보세요.

① 26 + 29 =

② 22 + 28 =

③ 36 + 45 =

④ 26 + 67 =

⑤ 45 + 15 =

⑥ 12 + 78 =

⑦ 64 + 18 =

⑧ 56 + 18 =

⑨ 43 + 38 =

⑩ 52 + 39 =

⑪ 66 + 15 =

⑫ 65 + 16 =

⑬ 25 + 18 =

⑭ 32 + 59 =

⑮ 44 + 37 =

⑯ 25 + 36 =

⑰ 18 + 19 =

⑱ 35 + 16 =

⑲ 16 + 78 =

⑳ 55 + 27 =

두 자리 수 덧셈

두 자리 수 덧셈의 다양한 원리 중 편리한 방법으로 계산해 보세요.

① 37 + 15 =

② 25 + 58 =

③ 24 + 17 =

④ 38 + 46 =

⑤ 45 + 16 =

⑥ 29 + 56 =

⑦ 59 + 22 =

⑧ 28 + 13 =

⑨ 55 + 17 =

⑩ 29 + 13 =

⑪ 32 + 19 =

⑫ 67 + 14 =

⑬ 39 + 25 =

⑭ 47 + 45 =

⑮ 28 + 16 =

⑯ 19 + 18 =

⑰ 26 + 56 =

⑱ 57 + 34 =

⑲ 38 + 33 =

⑳ 28 + 26 =

4주차

받아올림 한 번 있는 덧셈

받아올림이 한 번 있는 덧셈의 원리를 알아보고 연습합니다. 연습은 세로셈 위주로 하도록 하였습니다.

일의 자리 받아올림

수 모형을 보고 ☐ 에 알맞은 수를 써넣으세요.

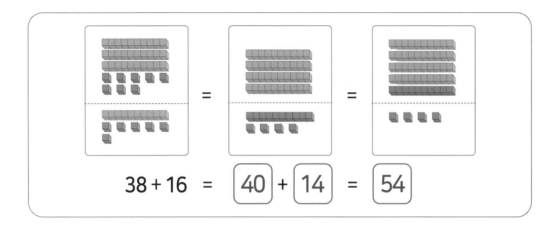

$$38 + 16 = \boxed{40} + \boxed{14} = \boxed{54}$$

①

$$15 + 29 = \boxed{} + \boxed{} = \boxed{}$$

②

$$26 + 26 = \boxed{} + \boxed{} = \boxed{}$$

같은 자리 수끼리 더해서 계산해 보세요.

```
          2  5
       +  3  8
      ─────────
5 + 8 =  1  3
20 + 30 = 5  0
      ─────────
50 + 13 = 6  3
```

①
```
          4  6
       +  1  5
      ─────────
6 + 5 =  □  □
40 + 10 = □  □
      ─────────
         □  □
```

②
```
          3  9
       +  4  9
      ─────────
9 + 9 =  □  □
30 + 40 = □  □
      ─────────
         □  □
```

③
```
          5  6
       +  2  8
      ─────────
6 + 8 =  □  □
50 + 20 = □  □
      ─────────
         □  □
```

④
```
          3  9
       +  1  3
      ─────────
9 + 3 =  □  □
30 + 10 = □  □
      ─────────
         □  □
```

⑤
```
          1  7
       +  5  8
      ─────────
7 + 8 =  □  □
10 + 50 = □  □
      ─────────
         □  □
```

같은 자리 수끼리 더해서 계산해 보세요.

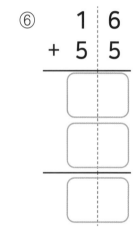

```
        6 : 7
    +   2 : 6
   ──────────────
7+6=    1 : 3
60+20=  8 : 0
   ──────────────
80+13=  9 : 3
```

①
```
    2 : 8
+   3 : 5
─────────────

```

②
```
    4 : 4
+   1 : 9
─────────────

```

③
```
    5 : 7
+   3 : 9
─────────────

```

④
```
    2 : 3
+   6 : 7
─────────────

```

⑤
```
    4 : 9
+   2 : 8
─────────────

```

⑥
```
    1 : 6
+   5 : 5
─────────────

```

⑦
```
    3 : 7
+   2 : 8
─────────────

```

⑧
```
    3 : 4
+   1 : 8
─────────────

```

⑨
```
    1 : 3
+   6 : 9
─────────────

```

⑩
```
    3 : 5
+   4 : 5
─────────────

```

⑪
```
    1 : 9
+   7 : 2
─────────────

```

십의 자리 받아올림

동전 모형을 보고 ☐에 알맞은 수를 써넣으세요.

$73 + 42 = \boxed{110} + \boxed{5} = \boxed{115}$

① $51 + 76 = \boxed{} + \boxed{} = \boxed{}$

② $84 + 63 = \boxed{} + \boxed{} = \boxed{}$

같은 자리 수끼리 더해서 계산해 보세요.

$$\begin{array}{r} 8\ 3 \\ +\ 6\ 6 \\ \hline \end{array}$$

$3 + 6 = \boxed{\ \ 9}$

$80 + 60 = \boxed{1\ 4\ 0}$

$140 + 9 = \boxed{1\ 4\ 9}$

①
$$\begin{array}{r} 7\ 2 \\ +\ 4\ 1 \\ \hline \end{array}$$

$2 + 1 = \boxed{}$

$70 + 40 = \boxed{}$

②
$$\begin{array}{r} 5\ 5 \\ +\ 9\ 3 \\ \hline \end{array}$$

$5 + 3 = \boxed{}$

$50 + 90 = \boxed{}$

③
$$\begin{array}{r} 8\ 8 \\ +\ 4\ 0 \\ \hline \end{array}$$

$8 + 0 = \boxed{}$

$80 + 40 = \boxed{}$

④
$$\begin{array}{r} 6\ 3 \\ +\ 9\ 4 \\ \hline \end{array}$$

$3 + 4 = \boxed{}$

$60 + 90 = \boxed{}$

⑤
$$\begin{array}{r} 5\ 6 \\ +\ 5\ 2 \\ \hline \end{array}$$

$6 + 2 = \boxed{}$

$50 + 50 = \boxed{}$

같은 자리 수끼리 더해서 계산해 보세요.

보기

	8	2
+	3	1

2 + 1 = [ ][3]

80 + 30 = [1][1][0]

110 + 3 = [1][1][3]

①
	3	4
+	9	2

②
	5	6
+	7	1

③
	8	6
+	7	2

④
	8	4
+	6	0

⑤
	9	4
+	7	4

⑥
	7	8
+	4	1

⑦
	5	4
+	6	5

⑧
	6	3
+	6	2

⑨
	3	4
+	7	2

⑩
	8	1
+	3	6

⑪
	3	2
+	9	4

□에 알맞은 수를 써넣으세요.

$$
\begin{array}{r}
2\ 7 \\
+\ 4\ 8 \\
\end{array}
\Rightarrow
\begin{array}{r}
\overset{1}{\ }\ \\
2\ 7 \\
+\ 4\ 8 \\
\hline
5 \\
\end{array}
\Rightarrow
\begin{array}{r}
\overset{1}{\ }\ \\
2\ 7 \\
+\ 4\ 8 \\
\hline
7\ 5 \\
\end{array}
$$

7+8=15   1+2+4=7

$$
\begin{array}{r}
1\ \ \\
5\ 6 \\
+\ 2\ 5 \\
\hline
8\ 1 \\
\end{array}
$$

①
$$
\begin{array}{r}
4\ 3 \\
+\ 1\ 9 \\
\hline
\end{array}
$$

②
$$
\begin{array}{r}
3\ 6 \\
+\ 2\ 6 \\
\hline
\end{array}
$$

③
$$
\begin{array}{r}
2\ 7 \\
+\ 4\ 7 \\
\hline
\end{array}
$$

④
$$
\begin{array}{r}
3\ 5 \\
+\ 1\ 7 \\
\hline
\end{array}
$$

⑤
$$
\begin{array}{r}
6\ 2 \\
+\ 1\ 8 \\
\hline
\end{array}
$$

⑥
$$
\begin{array}{r}
7\ 2 \\
+\ 1\ 9 \\
\hline
\end{array}
$$

⑦
$$
\begin{array}{r}
2\ 5 \\
+\ 5\ 9 \\
\hline
\end{array}
$$

⑧
$$
\begin{array}{r}
4\ 9 \\
+\ 2\ 9 \\
\hline
\end{array}
$$

⑨
$$
\begin{array}{r}
1\ 5 \\
+\ 1\ 9 \\
\hline
\end{array}
$$

⑩
$$
\begin{array}{r}
3\ 5 \\
+\ 5\ 5 \\
\hline
\end{array}
$$

⑪
$$
\begin{array}{r}
2\ 6 \\
+\ 3\ 8 \\
\hline
\end{array}
$$

□에 알맞은 수를 써넣으세요.

$$
\begin{array}{r} 8\ 4 \\ +\ 3\ 3 \\ \hline \ 7 \end{array}
\quad\Rightarrow\quad
\begin{array}{r} 8\ 4 \\ +\ 3\ 3 \\ \hline \ 7 \end{array}
\quad\Rightarrow\quad
\begin{array}{r} 8\ 4 \\ +\ 3\ 3 \\ \hline 1\ 1\ 7 \end{array}
$$

4 + 3 = 7   8 + 3 = 11

$$
\begin{array}{r} 6\ 7 \\ +\ 4\ 1 \\ \hline 1\ 0\ 8 \end{array}
$$

①
$$
\begin{array}{r} 6\ 3 \\ +\ 5\ 2 \\ \hline \end{array}
$$

②
$$
\begin{array}{r} 8\ 2 \\ +\ 4\ 2 \\ \hline \end{array}
$$

③
$$
\begin{array}{r} 7\ 3 \\ +\ 6\ 1 \\ \hline \end{array}
$$

④
$$
\begin{array}{r} 5\ 6 \\ +\ 5\ 3 \\ \hline \end{array}
$$

⑤
$$
\begin{array}{r} 4\ 6 \\ +\ 9\ 1 \\ \hline \end{array}
$$

⑥
$$
\begin{array}{r} 6\ 4 \\ +\ 8\ 2 \\ \hline \end{array}
$$

⑦
$$
\begin{array}{r} 9\ 3 \\ +\ 6\ 0 \\ \hline \end{array}
$$

⑧
$$
\begin{array}{r} 8\ 3 \\ +\ 7\ 3 \\ \hline \end{array}
$$

⑨
$$
\begin{array}{r} 9\ 4 \\ +\ 9\ 1 \\ \hline \end{array}
$$

⑩
$$
\begin{array}{r} 7\ 1 \\ +\ 6\ 8 \\ \hline \end{array}
$$

⑪
$$
\begin{array}{r} 5\ 7 \\ +\ 8\ 1 \\ \hline \end{array}
$$

같은 자리 수끼리 더해서 계산해 보세요.

<table>
<tr><td>
　　1
　　5　6
＋　1　9
――――
　　7　5
</td></tr>
</table>

①
$$56 + 71$$

②
$$34 + 17$$

③
$$58 + 51$$

④
$$82 + 85$$

⑤
$$18 + 78$$

⑥
$$33 + 93$$

⑦
$$72 + 19$$

⑧
$$71 + 61$$

⑨
$$90 + 48$$

⑩
$$46 + 29$$

⑪
$$27 + 16$$

⑫
$$37 + 15$$

⑬
$$33 + 86$$

⑭
$$39 + 34$$

⑮
$$75 + 64$$

연산 퍼즐

🚗 주차 건물에 층별로 주차가 가능한 자동차 수가 디지털 숫자로 표시되어 있습니다.

⭐ 주차 건물에 주차가 가능한 자동차 수의 합을 구하세요. 단, 디지털 숫자로 적지 않아도 됩니다.

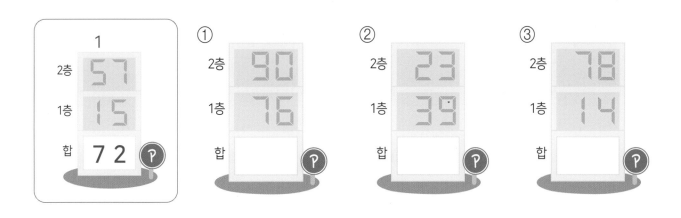

1

2층 57
1층 15
합 7 2

① 2층 90 / 1층 76 / 합

② 2층 23 / 1층 39 / 합

③ 2층 78 / 1층 14 / 합

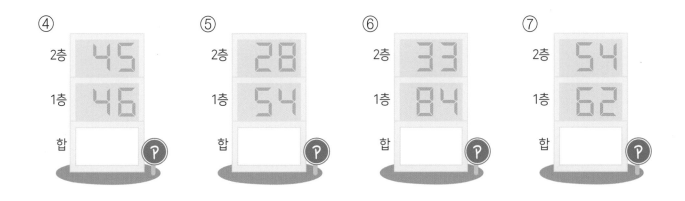

④ 2층 45 / 1층 46 / 합

⑤ 2층 28 / 1층 54 / 합

⑥ 2층 33 / 1층 84 / 합

⑦ 2층 54 / 1층 62 / 합

주차 건물에 주차가 가능한 자동차 수의 합을 구하세요.

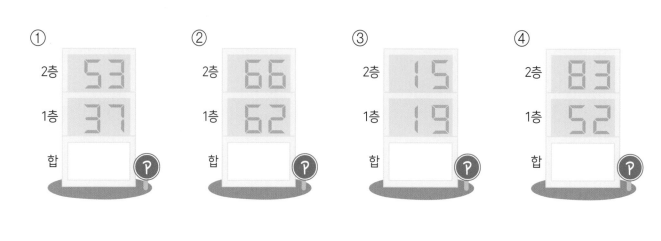

① 2층 53 / 1층 37 / 합

② 2층 66 / 1층 62 / 합

③ 2층 15 / 1층 19 / 합

④ 2층 83 / 1층 52 / 합

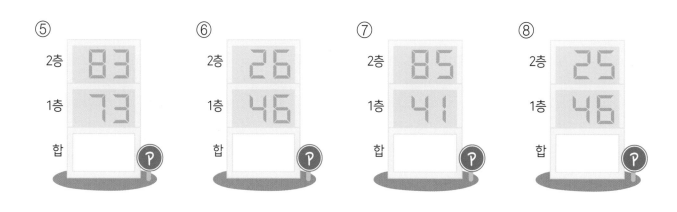

⑤ 2층 83 / 1층 73 / 합

⑥ 2층 26 / 1층 46 / 합

⑦ 2층 85 / 1층 41 / 합

⑧ 2층 25 / 1층 46 / 합

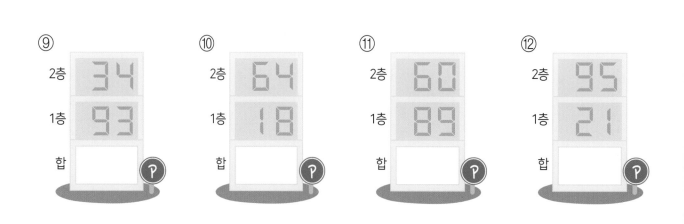

⑨ 2층 34 / 1층 93 / 합

⑩ 2층 64 / 1층 18 / 합

⑪ 2층 60 / 1층 89 / 합

⑫ 2층 95 / 1층 21 / 합

글과 그림을 보고 물음에 알맞은 식을 세우고 답을 구하세요.

민성이네 학교 바자회에서 모자 62개, 티셔츠 57개, 바지 34개를 팔고 있어요.

⭐ 바자회에서 팔고 있는 바지와 티셔츠는 모두 몇 개일까요?

식 :   34 + 57 = 91   답 :   91   개

① 바자회에서 팔고 있는 티셔츠와 모자는 모두 몇 개일까요?

식 : _____   답 : _____ 개

 문제를 읽고 알맞은 식과 답을 써 보세요.

① 미술실에 파란색 색연필 19자루와 빨간색 색연필 24자루가 있습니다. 미술실에 있는 파란색과 빨간색 색연필은 모두 몇 자루일까요?

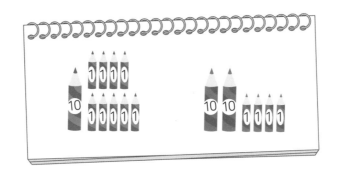

식 : _____ 답 : _____ 자루

② 성철이는 아버지와 은행잎을 치우러 갔는데 성철이는 52장, 아버지는 65장의 은행잎을 치웠습니다. 두 사람이 치운 은행잎은 모두 몇 장일까요?

식 : _____ 답 : _____ 장

🙋 문제를 읽고 알맞은 식과 답을 써 보세요.

① 놀이공원에 학생들이 줄을 서 있는데 남학생은 39명, 여학생은 23명입니다. 줄을 선 학생은 모두 몇 명일까요?

식 : _____   답 : _____ 명

② 오늘 달걀을 16개 삶아 먹었습니다. 달걀을 먹은 후 냉장고를 보니 달걀이 25개 남아 있었습니다. 달걀을 삶아 먹기 전에 냉장고에 있던 달걀은 모두 몇 개일까요?

식 : _____   답 : _____ 개

③ 현장 학습을 가는 버스 2대에 각각 37명과 44명이 타고 있습니다. 가는 도중에 휴게소에 들려서 음료수를 사려고 합니다. 휴게소에서 사야 하는 음료수는 몇 개일까요?

식 : _____   답 : _____ 개

문제를 읽고 알맞은 식과 답을 써 보세요.

① 민준이는 할아버지와 함께 오이를 따러 갔는데 민준이는 52개를 땄고, 할아버지는 민준이보다 83개를 더 따셨습니다. 할아버지가 따신 오이는 모두 몇 개일까요?

식 : _____ 답 : _____ 개

② 한철이는 동화책을 읽었는데 어제는 63쪽, 오늘은 71쪽을 읽었습니다. 어제와 오늘 한철이가 읽은 동화책은 모두 몇 쪽일까요?

식 : _____ 답 : _____ 쪽

③ 귤 한 박스에 귤이 53개 들어 있습니다. 귤 두 박스에 들어 있는 귤은 모두 몇 개일까요?

식 : _____ 답 : _____ 개

· **5**주차 ·
받아올림 두 번 있는 덧셈

받아올림이 두 번 있는 덧셈의 원리를 알아보고 연습합니다. 연습은 세로셈 위주로 하도록 하였습니다.

받아올림 두 번 있는 덧셈

🎵 동전 모형을 보고 ☐에 알맞은 수를 써넣으세요.

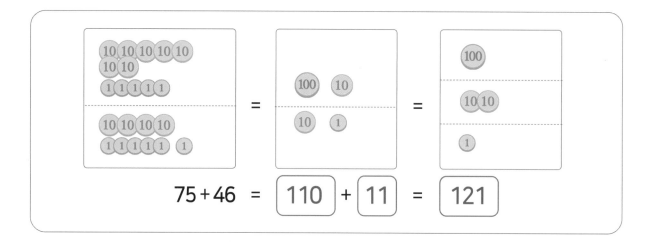

75 + 46 = [110] + [11] = [121]

①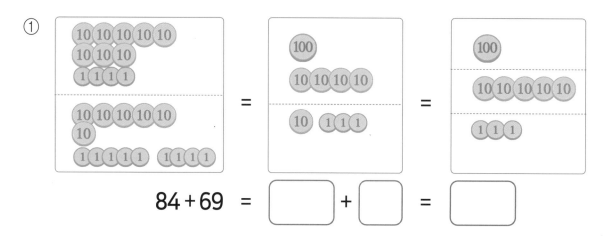

84 + 69 = [   ] + [   ] = [   ]

②

68 + 65 = [   ] + [   ] = [   ]

같은 자리 수끼리 더해서 계산해 보세요.

		8	5
	+	7	6

$5+6 =$
	1	1

$80+70 =$
1	5	0

$150+11 =$
1	6	1

①
		7	6
	+	4	9

$6+9 =$

$70+40 =$

②
		5	8
	+	7	4

$8+4 =$

$50+70 =$

③
		3	2
	+	8	9

$2+9 =$

$30+80 =$

④
		6	4
	+	9	6

$4+6 =$

$60+90 =$

⑤
		5	5
	+	4	7

$5+7 =$

$50+40 =$

같은 자리 수끼리 더해서 계산해 보세요.

	5	8
+	8	9

8 + 9 = 　1　7

50 + 80 = 1　3　0

130 + 17 = 1　4　7

①
	4	7
+	5	4

②
	7	7
+	8	6

③
	5	8
+	7	4

④
	5	6
+	6	7

⑤
	7	8
+	9	7

⑥
	4	7
+	9	9

⑦
	2	8
+	7	3

⑧
	8	4
+	4	6

⑨
	9	5
+	6	8

⑩
	5	5
+	5	9

⑪
	6	6
+	3	9

세로셈

☝ □에 알맞은 수를 써넣으세요.

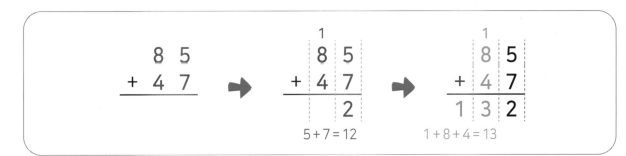

```
      1
    8 5
+   4 7
```
→
```
    1
    8 5
+   4 7
      2
```
5 + 7 = 12
→
```
    1
    8 5
+   4 7
  1 3 2
```
1 + 8 + 4 = 13

```
    1
  6 7
+ 4 8
1 1 5
```

①
```
  4 6
+ 8 7
```

②
```
  2 9
+ 8 3
```

③
```
  4 7
+ 7 8
```

④
```
  7 4
+ 6 8
```

⑤
```
  4 8
+ 5 5
```

⑥
```
  7 3
+ 7 8
```

⑦
```
  3 4
+ 8 9
```

⑧
```
  9 6
+ 9 6
```

⑨
```
  6 4
+ 8 9
```

⑩
```
  5 6
+ 9 4
```

⑪
```
  9 2
+ 2 8
```

 세로셈으로 계산하세요.

```
      1
      4 6
  +   8 9
  ─────────
  1 3 5
```

①
```
      2 8
  +   7 2
  ─────────
```

②
```
      8 4
  +   3 7
  ─────────
```

③
```
      5 3
  +   7 9
  ─────────
```

④
```
      6 6
  +   4 8
  ─────────
```

⑤
```
      2 5
  +   9 5
  ─────────
```

⑥
```
      4 7
  +   8 8
  ─────────
```

⑦
```
      3 8
  +   9 4
  ─────────
```

⑧
```
      8 3
  +   8 9
  ─────────
```

⑨
```
      9 7
  +   4 6
  ─────────
```

⑩
```
      8 9
  +   6 5
  ─────────
```

⑪
```
      4 7
  +   5 9
  ─────────
```

⑫
```
      6 4
  +   3 9
  ─────────
```

⑬
```
      9 3
  +   9 8
  ─────────
```

⑭
```
      4 8
  +   5 3
  ─────────
```

⑮
```
      5 7
  +   8 5
  ─────────
```

두 막대의 합

🖋 두 연필의 수의 합을 구하세요.

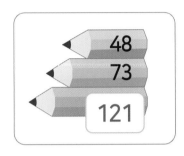
48
73
121

①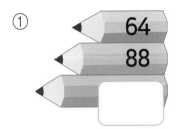
64
88

②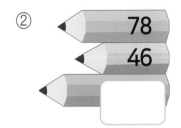
78
46

③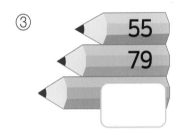
55
79

④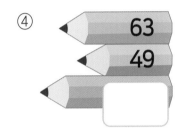
63
49

⑤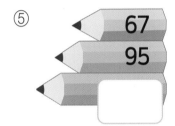
67
95

⑥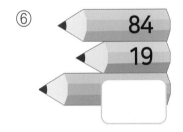
84
19

⑦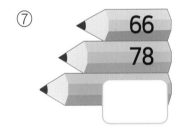
66
78

⑧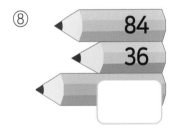
84
36

⑨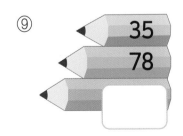
35
78

⑩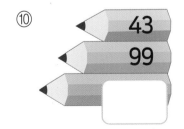
43
99

⑪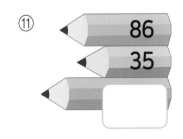
86
35

세로셈으로 계산하세요.

①
```
    5 7
+   7 6
───────
```

②
```
    8 4
+   7 8
───────
```

③
```
    9 7
+   6 9
───────
```

④
```
    2 8
+   7 6
───────
```

⑤
```
    6 7
+   5 6
───────
```

⑥
```
    9 3
+   5 7
───────
```

⑦
```
    5 7
+   5 4
───────
```

⑧
```
    4 7
+   6 6
───────
```

⑨
```
    7 9
+   4 7
───────
```

⑩
```
    3 8
+   9 9
───────
```

⑪
```
    1 8
+   9 9
───────
```

⑫
```
    3 6
+   8 5
───────
```

⑬
```
    5 4
+   8 7
───────
```

⑭
```
    4 6
+   7 9
───────
```

⑮
```
    3 8
+   6 6
───────
```

⑯
```
    9 3
+   4 7
───────
```

106

$$\begin{array}{r} 3\ 8 \\ +\ 9\ 4 \\ \hline \end{array}$$

154

$$\begin{array}{r} 7\ 7 \\ +\ 5\ 4 \\ \hline \end{array}$$

131

$$\begin{array}{r} 6\ 8 \\ +\ 8\ 6 \\ \hline \end{array}$$

132

$$\begin{array}{r} 9\ 8 \\ +\ 4\ 9 \\ \hline \end{array}$$

147

$$\begin{array}{r} 5\ 9 \\ +\ 4\ 7 \\ \hline \end{array}$$

연산 퍼즐

🐵 잘못 계산한 것을 찾아 바르게 고쳐 보세요.

$$
\begin{array}{r} 4\ 7 \\ +\ 8\ 3 \\ \hline 1\ 3\ 0 \end{array}
\qquad
\begin{array}{r} 5\ 6 \\ +\ 7\ 7 \\ \hline \cancel{1\ 2\ 3}\ \ 133 \end{array}
\qquad
\begin{array}{r} 6\ 9 \\ +\ 7\ 6 \\ \hline 1\ 4\ 5 \end{array}
\qquad
\begin{array}{r} 9\ 4 \\ +\ 2\ 6 \\ \hline 1\ 2\ 0 \end{array}
$$

$$
\begin{array}{r} 5\ 5 \\ +\ 9\ 7 \\ \hline 1\ 5\ 2 \end{array}
\qquad
\begin{array}{r} 6\ 6 \\ +\ 6\ 5 \\ \hline 1\ 3\ 1 \end{array}
\qquad
\begin{array}{r} 7\ 8 \\ +\ 9\ 0 \\ \hline 1\ 7\ 0 \end{array}
\qquad
\begin{array}{r} 7\ 4 \\ +\ 4\ 7 \\ \hline 1\ 2\ 1 \end{array}
$$

$$
\begin{array}{r} 4\ 9 \\ +\ 6\ 1 \\ \hline 1\ 0\ 0 \end{array}
\qquad
\begin{array}{r} 8\ 4 \\ +\ 2\ 9 \\ \hline 1\ 1\ 3 \end{array}
\qquad
\begin{array}{r} 4\ 5 \\ +\ 8\ 8 \\ \hline 1\ 3\ 3 \end{array}
\qquad
\begin{array}{r} 9\ 3 \\ +\ 9\ 8 \\ \hline 1\ 9\ 1 \end{array}
$$

$$
\begin{array}{r} 7\ 8 \\ +\ 9\ 9 \\ \hline 1\ 7\ 7 \end{array}
\qquad
\begin{array}{r} 8\ 7 \\ +\ 6\ 5 \\ \hline 1\ 5\ 2 \end{array}
\qquad
\begin{array}{r} 3\ 8 \\ +\ 7\ 4 \\ \hline 1\ 1\ 2 \end{array}
\qquad
\begin{array}{r} 7\ 6 \\ +\ 4\ 6 \\ \hline 1\ 1\ 2 \end{array}
$$

합이 ◯ 안의 수가 되는 두 풍선에 선을 그려 보세요.

$$59 + 78$$ •

$$47 + 98$$ •

$$95 + 87$$ •

$$25 + 96$$ •

$$74 + 58$$ •

•
$$\begin{array}{r} 9\ 6 \\ +\ 3\ 6 \\ \hline \end{array}$$

•
$$\begin{array}{r} 8\ 3 \\ +\ 3\ 8 \\ \hline \end{array}$$

•
$$\begin{array}{r} 9\ 6 \\ +\ 8\ 6 \\ \hline \end{array}$$

•
$$\begin{array}{r} 7\ 8 \\ +\ 6\ 7 \\ \hline \end{array}$$

•
$$\begin{array}{r} 9\ 2 \\ +\ 4\ 5 \\ \hline \end{array}$$

문장제

🔑 글과 그림을 보고 물음에 알맞은 식을 세우고 답을 구하세요.

세탁소 서랍 속에 검은색 단추 66개, 초록색 단추 59개, 빨간색 단추 75개가 있습니다.

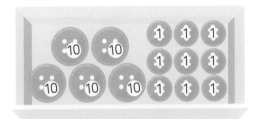

★ 검은색 단추와 빨간색 단추는 모두 몇 개일까요?

식 : 66 + 75 = 141   답 : 141 개

① 초록색 단추와 빨간색 단추는 모두 몇 개일까요?

식 :   답 :   개

 문제를 읽고 알맞은 식과 답을 써 보세요.

① 상철이는 구슬 83개가 있고 민섭이는 구슬 39개가 있습니다. 두 사람이 가지고 있는 구슬은 모두 몇 개일까요?

식 : _____ 답 : _____ 개

② 사탕 한 봉지에 68개의 사탕이 들어 있습니다. 사탕 2봉지에 들어 있는 사탕은 모두 몇 개일까요?

식 : _____ 답 : _____ 개

文 문제를 읽고 알맞은 식과 답을 써 보세요.

① 여객선 두 척에 각각 87명과 95명이 타고 있습니다. 여객선 두 척에 있는 사람은 모두 몇 명일까요?

식 : _____   답 : _____ 명

② 아버지는 사과 59개를, 어머니는 딸기 62개를 사 오셨습니다. 아버지와 어머니가 사 오신 사과와 딸기는 모두 몇 개일까요?

식 : _____   답 : _____ 개

③ 애완동물 모임에 나갔더니 강아지가 48마리, 고양이가 68마리 있습니다. 강아지와 고양이는 모두 몇 마리일까요?

식 : _____   답 : _____ 마리

문제를 읽고 알맞은 식과 답을 써 보세요.

① 제기차기를 했는데 처음엔 69번을, 두 번째는 73번을 찼습니다. 모두 몇 번의 제기를 찼을까요?

식 : _____   답 : _____ 번

② 영민이네 교회에는 여자가 84명이고, 남자는 여자보다 49명이 더 많습니다. 영민이네 교회에 다니고 있는 남자는 모두 몇 명일까요?

식 : _____   답 : _____ 명

③ 어느 분식점에서 고기만두는 88개, 김치만두는 43개를 만들어 놓았습니다. 만들어 놓은 고기만두와 김치만두는 모두 몇 개일까요?

식 : _____   답 : _____ 개

· **6**주차 ·

도전! 계산왕

두 자리 수 덧셈

🐌 계산해 보세요.

①
$$\begin{array}{r} 49 \\ + 57 \\ \hline \end{array}$$

②
$$\begin{array}{r} 27 \\ + 59 \\ \hline \end{array}$$

③
$$\begin{array}{r} 67 \\ + 66 \\ \hline \end{array}$$

④
$$\begin{array}{r} 19 \\ + 98 \\ \hline \end{array}$$

⑤
$$\begin{array}{r} 47 \\ + 27 \\ \hline \end{array}$$

⑥
$$\begin{array}{r} 58 \\ + 89 \\ \hline \end{array}$$

⑦
$$\begin{array}{r} 81 \\ + 39 \\ \hline \end{array}$$

⑧
$$\begin{array}{r} 65 \\ + 63 \\ \hline \end{array}$$

⑨
$$\begin{array}{r} 35 \\ + 91 \\ \hline \end{array}$$

⑩
$$\begin{array}{r} 89 \\ + 76 \\ \hline \end{array}$$

⑪
$$\begin{array}{r} 47 \\ + 34 \\ \hline \end{array}$$

⑫
$$\begin{array}{r} 59 \\ + 21 \\ \hline \end{array}$$

⑬
$$\begin{array}{r} 41 \\ + 97 \\ \hline \end{array}$$

⑭
$$\begin{array}{r} 56 \\ + 82 \\ \hline \end{array}$$

⑮
$$\begin{array}{r} 43 \\ + 66 \\ \hline \end{array}$$

⑯
$$\begin{array}{r} 12 \\ + 29 \\ \hline \end{array}$$

⑰
$$\begin{array}{r} 61 \\ + 49 \\ \hline \end{array}$$

⑱
$$\begin{array}{r} 65 \\ + 15 \\ \hline \end{array}$$

⑲
$$\begin{array}{r} 23 \\ + 78 \\ \hline \end{array}$$

⑳
$$\begin{array}{r} 25 \\ + 77 \\ \hline \end{array}$$

두 자리 수 덧셈

💡 계산해 보세요.

①
$$\begin{array}{r} 5\,3 \\ +\ 2\,7 \\ \hline \end{array}$$

②
$$\begin{array}{r} 1\,3 \\ +\ 7\,7 \\ \hline \end{array}$$

③
$$\begin{array}{r} 7\,4 \\ +\ 4\,2 \\ \hline \end{array}$$

④
$$\begin{array}{r} 6\,8 \\ +\ 1\,2 \\ \hline \end{array}$$

⑤
$$\begin{array}{r} 2\,5 \\ +\ 8\,5 \\ \hline \end{array}$$

⑥
$$\begin{array}{r} 3\,4 \\ +\ 2\,7 \\ \hline \end{array}$$

⑦
$$\begin{array}{r} 6\,3 \\ +\ 8\,1 \\ \hline \end{array}$$

⑧
$$\begin{array}{r} 9\,3 \\ +\ 7\,3 \\ \hline \end{array}$$

⑨
$$\begin{array}{r} 3\,4 \\ +\ 3\,7 \\ \hline \end{array}$$

⑩
$$\begin{array}{r} 9\,7 \\ +\ 7\,8 \\ \hline \end{array}$$

⑪
$$\begin{array}{r} 3\,5 \\ +\ 1\,9 \\ \hline \end{array}$$

⑫
$$\begin{array}{r} 7\,9 \\ +\ 5\,5 \\ \hline \end{array}$$

⑬
$$\begin{array}{r} 1\,2 \\ +\ 6\,9 \\ \hline \end{array}$$

⑭
$$\begin{array}{r} 7\,8 \\ +\ 9\,6 \\ \hline \end{array}$$

⑮
$$\begin{array}{r} 9\,9 \\ +\ 3\,1 \\ \hline \end{array}$$

⑯
$$\begin{array}{r} 6\,8 \\ +\ 5\,9 \\ \hline \end{array}$$

⑰
$$\begin{array}{r} 7\,7 \\ +\ 4\,9 \\ \hline \end{array}$$

⑱
$$\begin{array}{r} 3\,6 \\ +\ 6\,4 \\ \hline \end{array}$$

⑲
$$\begin{array}{r} 3\,8 \\ +\ 5\,7 \\ \hline \end{array}$$

⑳
$$\begin{array}{r} 2\,8 \\ +\ 5\,5 \\ \hline \end{array}$$

두 자리 수 덧셈

👀 계산해 보세요.

① 97
+ 75

② 37
+ 58

③ 49
+ 18

④ 85
+ 18

⑤ 69
+ 42

⑥ 38
+ 57

⑦ 39
+ 19

⑧ 42
+ 48

⑨ 35
+ 67

⑩ 88
+ 49

⑪ 46
+ 49

⑫ 51
+ 49

⑬ 42
+ 63

⑭ 55
+ 39

⑮ 41
+ 59

⑯ 52
+ 39

⑰ 52
+ 53

⑱ 55
+ 36

⑲ 27
+ 14

⑳ 88
+ 86

2일 ❷

두 자리 수 덧셈

🐌 계산해 보세요.

① 　6 6
　+ 3 9

② 　7 9
　+ 9 8

③ 　7 4
　+ 7 8

④ 　2 8
　+ 6 5

⑤ 　8 8
　+ 1 7

⑥ 　8 7
　+ 2 9

⑦ 　5 4
　+ 2 7

⑧ 　4 5
　+ 3 5

⑨ 　6 6
　+ 1 7

⑩ 　6 3
　+ 5 8

⑪ 　1 4
　+ 9 7

⑫ 　3 5
　+ 2 6

⑬ 　8 2
　+ 3 0

⑭ 　5 1
　+ 7 6

⑮ 　4 8
　+ 9 4

⑯ 　2 7
　+ 2 9

⑰ 　8 8
　+ 3 7

⑱ 　8 7
　+ 1 3

⑲ 　5 6
　+ 5 1

⑳ 　4 4
　+ 6 3

두 자리 수 덧셈

계산해 보세요.

①
```
   1 2
 + 9 8
```

②
```
   7 4
 + 7 8
```

③
```
   2 9
 + 3 1
```

④
```
   4 4
 + 9 9
```

⑤
```
   8 8
 + 9 3
```

⑥
```
   5 3
 + 5 6
```

⑦
```
   6 3
 + 4 5
```

⑧
```
   9 4
 + 6 8
```

⑨
```
   4 8
 + 1 2
```

⑩
```
   1 8
 + 4 5
```

⑪
```
   4 2
 + 2 8
```

⑫
```
   9 8
 + 5 2
```

⑬
```
   1 5
 + 9 8
```

⑭
```
   8 6
 + 2 1
```

⑮
```
   1 5
 + 9 2
```

⑯
```
   5 5
 + 9 8
```

⑰
```
   2 2
 + 4 8
```

⑱
```
   7 5
 + 4 4
```

⑲
```
   2 6
 + 6 9
```

⑳
```
   8 2
 + 7 2
```

두 자리 수 덧셈

3일 ②

🔍 계산해 보세요.

①
```
  2 5
+ 6 5
```

②
```
  9 8
+ 2 6
```

③
```
  3 4
+ 7 4
```

④
```
  6 3
+ 7 8
```

⑤
```
  8 1
+ 8 0
```

⑥
```
  8 3
+ 6 9
```

⑦
```
  5 1
+ 1 9
```

⑧
```
  5 4
+ 5 7
```

⑨
```
  1 4
+ 3 6
```

⑩
```
  2 3
+ 2 7
```

⑪
```
  4 1
+ 3 9
```

⑫
```
  2 7
+ 3 7
```

⑬
```
  8 3
+ 6 8
```

⑭
```
  6 2
+ 1 8
```

⑮
```
  3 8
+ 3 6
```

⑯
```
  6 8
+ 2 7
```

⑰
```
  4 9
+ 4 9
```

⑱
```
  6 6
+ 7 9
```

⑲
```
  9 6
+ 3 6
```

⑳
```
  4 3
+ 6 2
```

두 자리 수 덧셈

🦵 계산해 보세요.

①　　1 9
　＋ 2 1

②　　6 6
　＋ 7 6

③　　6 9
　＋ 9 7

④　　3 3
　＋ 8 5

⑤　　7 2
　＋ 6 7

⑥　　6 2
　＋ 9 8

⑦　　5 9
　＋ 2 8

⑧　　2 4
　＋ 9 8

⑨　　4 3
　＋ 3 7

⑩　　2 3
　＋ 3 7

⑪　　7 8
　＋ 6 9

⑫　　1 2
　＋ 5 9

⑬　　3 2
　＋ 8 9

⑭　　8 5
　＋ 9 3

⑮　　2 9
　＋ 6 7

⑯　　6 5
　＋ 6 2

⑰　　1 6
　＋ 3 9

⑱　　6 4
　＋ 7 9

⑲　　6 2
　＋ 6 8

⑳　　9 4
　＋ 3 8

4일 ❷

두 자리 수 덧셈

🐰 계산해 보세요.

① 　 5 3
　 + 7 6

② 　 2 9
　 + 2 8

③ 　 4 4
　 + 2 9

④ 　 6 9
　 + 4 6

⑤ 　 3 5
　 + 2 9

⑥ 　 8 2
　 + 5 3

⑦ 　 8 2
　 + 6 9

⑧ 　 3 4
　 + 5 6

⑨ 　 7 5
　 + 6 2

⑩ 　 5 2
　 + 1 9

⑪ 　 7 9
　 + 4 8

⑫ 　 5 5
　 + 3 7

⑬ 　 6 8
　 + 6 4

⑭ 　 6 7
　 + 6 1

⑮ 　 2 5
　 + 2 9

⑯ 　 6 2
　 + 1 9

⑰ 　 7 2
　 + 7 7

⑱ 　 4 2
　 + 6 5

⑲ 　 6 3
　 + 5 2

⑳ 　 8 8
　 + 3 6

두 자리 수 덧셈

5일 **1**

🐌 계산해 보세요.

①
```
  3 8
+ 5 8
```

②
```
  3 1
+ 3 9
```

③
```
  5 1
+ 2 9
```

④
```
  3 6
+ 2 4
```

⑤
```
  7 6
+ 6 0
```

⑥
```
  7 3
+ 8 8
```

⑦
```
  3 3
+ 6 8
```

⑧
```
  8 9
+ 2 5
```

⑨
```
  8 9
+ 2 7
```

⑩
```
  8 3
+ 2 3
```

⑪
```
  5 6
+ 2 4
```

⑫
```
  3 7
+ 2 8
```

⑬
```
  9 2
+ 1 6
```

⑭
```
  5 2
+ 3 8
```

⑮
```
  9 4
+ 2 7
```

⑯
```
  7 8
+ 7 4
```

⑰
```
  5 9
+ 4 3
```

⑱
```
  5 9
+ 3 6
```

⑲
```
  3 9
+ 5 5
```

⑳
```
  4 6
+ 8 4
```

두 자리 수 덧셈

5일 ❷

🔔 계산해 보세요.

| ① | 7 6
 + 7 7 | ② | 8 6
 + 5 7 | ③ | 9 9
 + 8 1 | ④ | 3 7
 + 6 4 |

| ⑤ | 3 5
 + 4 9 | ⑥ | 6 1
 + 5 7 | ⑦ | 6 9
 + 1 7 | ⑧ | 7 6
 + 1 6 |

| ⑨ | 7 3
 + 6 8 | ⑩ | 4 8
 + 3 5 | ⑪ | 5 6
 + 7 5 | ⑫ | 5 8
 + 3 9 |

| ⑬ | 3 6
 + 9 5 | ⑭ | 6 4
 + 2 7 | ⑮ | 1 8
 + 3 2 | ⑯ | 2 4
 + 2 9 |

| ⑰ | 3 9
 + 8 0 | ⑱ | 5 4
 + 3 9 | ⑲ | 4 8
 + 8 0 | ⑳ | 1 9
 + 4 1 |

11 세로셈으로 계산하세요.

①
```
  3 4
+ 2 8
```

②
```
  4 9
+ 1 7
```

12 세로셈으로 계산하세요.

①
```
  7 8
+ 6 1
```
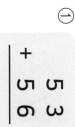

②
```
  9 4
+ 3 4
```
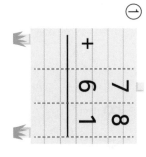

13 세로셈으로 계산하세요.

①
```
  4 7
+ 2 6
```

②
```
  7 5
+ 9 3
```

14 세로셈으로 계산하세요.

①
```
  5 3
+ 5 6
```

②
```
  3 2
+ 5 9
```

15 사탕 한 봉지에 사탕이 36개 들어 있습니다. 사탕 두 봉지에 들어 있는 사탕은 모두 몇 개일까요?

식:

답: 개

16 세로셈으로 계산하세요.

①
```
  5 7
+ 4 7
```

②
```
  7 6
+ 6 9
```

17 두 연필의 수의 합을 구하세요.

①

54 76

② 85 38

18 세로셈으로 계산하세요.

①
```
  8 5
+ 7 6
```

②
```
  7 8
+ 3 4
```

19 세로셈으로 계산하세요.

①
```
  6 9
+ 5 7
```

②
```
  3 8
+ 9 2
```

20 지영이는 책을 64쪽 읽었고, 하림이는 지영이보다 79쪽 더 읽었습니다. 하림이는 몇 쪽을 읽었을까요?

식:

답: 쪽

총괄 테스트

01 빈칸에 알맞은 수를 써넣으세요.

100이 5
100이 2 이면 [ ]
10이 9

02 빈 곳에 알맞은 수를 써넣으세요.

273 [ ] [ ] 573 673

100씩 뛰어 세기

03 몇씩 뛰어 세었는지 빈칸에 써넣으세요.

식 뛰어 세기 [ ]

287 297 307 317 327

04 두 수의 크기를 비교하여 ○ 안에 >, <를 알맞게 써넣으세요.

752 ○ 698
536 ○ 559

05 숫자 카드 중 3장을 골라 가장 큰 세 자리 수와 가장 작은 세 자리 수를 각각 써넣으세요.

2 7 0 5 9

가장 큰 세 자리 수	가장 작은 세 자리 수

06 빈칸에 알맞은 수를 써넣으세요.

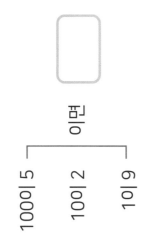

5 7 + 3 5

07 빈칸에 알맞은 수를 써넣으세요.

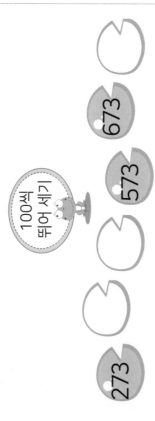

3 3 + 4 8

08 빈칸에 알맞은 수를 써넣으세요.

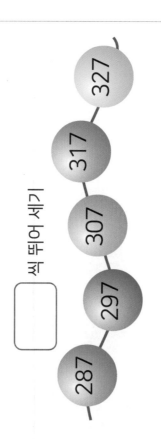

2 5 + 4 9
1

09 계산해 보세요.

① 18 + 23 =   ② 47 + 27 =

③ 29 + 25 =   ④ 37 + 56 =

10 계산해 보세요.

① 26 + 34 =   ② 42 + 19 =

③ 58 + 34 =   ④ 35 + 49 =

1000math.com

홈페이지

· 천종현수학연구소 소개 및 학습 자료 공유
· 출판 교재, 연구소 굿즈 구입

 cafe.naver.com/maths1000

네이버카페

· 다양한 이벤트 및 '천쌤수학학습단' 진행
· 학습 상담 게시판 운영

 https://www.instagram.com/1000maths

인스타그램

· 수학고민상담소 '천쌤에게 물어보셈' 릴스 보기
· 가장 빠르게 만나는 연구소 소식 및 이벤트

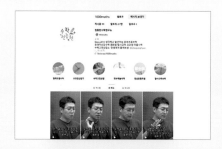

 https://www.youtube.com/@1000math4U

유튜브

· 인스타 라이브방송 '천쌤에게 물어보셈' 다시 보기
· 고민 상담 사례 및 수학교육 기획 콘텐츠

천종현수학연구소는
유아 초등 수학 교재와 콘텐츠를 꾸준히 **개발**하고 있습니다. 네이버에 '**천종현수학연구소**'를 검색하시거나
인스타그램, 유튜브 등 다양한 채널을 통해서도 **연산**과 **사고력 수학**, 교과 심화 학습에 대한 **노하우**와 **정보**를
다양하게 제공합니다. 지금 바로 만나보세요.

SINCE 2014

천종현수학연구소 출판 교재

01
유아 자신감 수학

썼다 지웠다 붙였다 뗐다
우리 아이의 첫 수학 교재

02
TOP 사고력 수학

실력도 탑! 재미도 탑!
사고력 수학의 으뜸

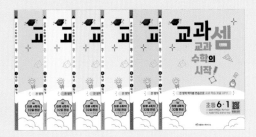

03
교과셈

사칙연산+도형, 측정, 경우의 수까지
반복 학습이 필요한 초등 연산 완성

04
따풀 수학

다양한 개념과 해결 방법을 배우는
배움이 있는 학습지

05
초등 사고력 수학의 원리/전략

진정한 수학 실력은 원리의 이해와 문제 해결 전략에서
재미있게 읽는 17년 초등 사고력 수학의 노하우!!

초등 | 수학 전문가가
만든 **연산 교재**

원리셈

천종현 지음

정답

2학년 ①

두 자리 수 덧셈

천종현수학연구소

1주차 - 세 자리 수

90보다 10 큰 수		
100		500
50, 50	100개, 100개	90보다 1 큰 수

11쪽

200 300
600 300
100 200
400 500

12쪽

	400
900	200
500	600
700	300
100	800

13쪽

300 60 3 363
100 40 8 148
500 10 7 517

14쪽

500 40 2 542
800 10 7 817
200 60 1 261

15쪽

6
2   418
8

1
5   263
4

9
4   819
6

16쪽

650 670 690
273 276 277
268 368 668
320 340 360

17쪽

268 270
790 800
438 738
583 603
369 371

18쪽

10, 1, 100, 10

19쪽

	<
>	<
>	<
>	>
<	<

20쪽

21쪽

764 234
653 123 987 347
843 203 964 104

22쪽

416, 422, 426, 430
654, 656, 666, 670, 671
391, 400, 401, 407, 413

23쪽

	182	601
728	202	615
729	207	617
750	188	603

24쪽

	504	957
107	502	935
127	523	939
115	526	934

26쪽

① 56
63

② 64 ③ 86
73   88

④ 87 ⑤ 69
91   77

27쪽

① 69 ② 77
72   84

③ 84 ④ 81
92   87

⑤ 75 ⑥ 54
83   58

28쪽

① 41

② 82 ③ 96

④ 50 ⑤ 63

⑥ 89 ⑦ 54

⑧ 41 ⑨ 78

⑩ 51 ⑪ 33

⑫ 62 ⑬ 71

⑭ 83 ⑮ 94

29쪽

① 70
11
81

② 40 ③ 80
12   13
52   93

④ 50 ⑤ 70
11   13
61   83

30쪽

① 70 ② 60
16   11
86   71

③ 40 ④ 70
15   12
55   82

⑤ 50 ⑥ 50
12   11
62   61

31쪽

① 80

② 85 ③ 86

④ 66 ⑤ 95

⑥ 69 ⑦ 82

⑧ 62 ⑨ 72

⑩ 37 ⑪ 83

⑫ 66 ⑬ 80

⑭ 77 ⑮ 91

32쪽

① 32
40
72

② 63 ③ 24
20   60
83   84

④ 32 ⑤ 23
30   50
62   73

33쪽

① 15 ② 64
40   30
55   94

③ 11 ④ 25
40   60
51   85

⑤ 11 ⑥ 44
70   20
81   64

34쪽

① 54

② 80 ③ 32

④ 85 ⑤ 82

⑥ 72 ⑦ 85

⑧ 51 ⑨ 55

⑩ 53 ⑪ 72

⑫ 63 ⑬ 71

⑭ 92 ⑮ 54

35쪽

① 40
66
65

② 20 ③ 30
77   95
75   92

④ 40 ⑤ 30
56   57
55   55

36쪽

① 30 ② 20
65   36
64   35

③ 30 ④ 50
67   66
65   63

⑤ 50 ⑥ 20
73   55
72   53

37쪽

① 62

② 54 ③ 82

④ 76 ⑤ 41

⑥ 75 ⑦ 62

⑧ 83 ⑨ 63

⑩ 60 ⑪ 71

⑫ 72 ⑬ 81

⑭ 65 ⑮ 83

38쪽

92 81
54 42 92
73 83 50

39쪽

81 61 75
60 90 94
43 61 74

40쪽

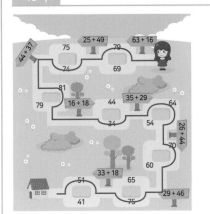

42쪽

① 83 ② 41

③ 34 ④ 41

⑤ 86 ⑥ 72

⑦ 71 ⑧ 51

⑨ 51 ⑩ 94

⑪ 94 ⑫ 61

⑬ 84 ⑭ 92

⑮ 82 ⑯ 50

⑰ 91 ⑱ 82

⑲ 70 ⑳ 90

43쪽

① 73 ② 62

③ 71 ④ 63

⑤ 85 ⑥ 93

⑦ 82 ⑧ 82

⑨ 91 ⑩ 54

⑪ 65 ⑫ 53

⑬ 82 ⑭ 82

⑮ 72 ⑯ 64

⑰ 73 ⑱ 33

⑲ 42 ⑳ 93

① 71 ② 82
③ 83 ④ 96
⑤ 53 ⑥ 92
⑦ 61 ⑧ 84
⑨ 90 ⑩ 85
⑪ 93 ⑫ 82
⑬ 71 ⑭ 62
⑮ 91 ⑯ 91
⑰ 71 ⑱ 51
⑲ 80 ⑳ 71

① 82 ② 94
③ 94 ④ 91
⑤ 90 ⑥ 81
⑦ 64 ⑧ 52
⑨ 82 ⑩ 92
⑪ 60 ⑫ 33
⑬ 61 ⑭ 64
⑮ 71 ⑯ 93
⑰ 91 ⑱ 84
⑲ 82 ⑳ 82

① 81 ② 51
③ 74 ④ 92
⑤ 62 ⑥ 72
⑦ 34 ⑧ 44
⑨ 84 ⑩ 84
⑪ 61 ⑫ 80
⑬ 72 ⑭ 80
⑮ 61 ⑯ 82
⑰ 50 ⑱ 92
⑲ 73 ⑳ 91

① 33 ② 83
③ 71 ④ 93
⑤ 94 ⑥ 44
⑦ 40 ⑧ 54
⑨ 91 ⑩ 60
⑪ 65 ⑫ 54
⑬ 91 ⑭ 64
⑮ 73 ⑯ 71
⑰ 92 ⑱ 73
⑲ 45 ⑳ 71

① 63 ② 75
③ 81 ④ 93
⑤ 61 ⑥ 57
⑦ 81 ⑧ 91
⑨ 72 ⑩ 71
⑪ 48 ⑫ 81
⑬ 82 ⑭ 84
⑮ 90 ⑯ 84
⑰ 43 ⑱ 62
⑲ 94 ⑳ 62

① 66 ② 61
③ 54 ④ 91
⑤ 71 ⑥ 92
⑦ 51 ⑧ 83
⑨ 81 ⑩ 90
⑪ 64 ⑫ 73
⑬ 60 ⑭ 71
⑮ 82 ⑯ 84
⑰ 74 ⑱ 64
⑲ 74 ⑳ 81

50쪽

① 55 ② 50
③ 81 ④ 93
⑤ 60 ⑥ 90
⑦ 82 ⑧ 74
⑨ 81 ⑩ 91
⑪ 81 ⑫ 81
⑬ 43 ⑭ 91
⑮ 81 ⑯ 61
⑰ 37 ⑱ 51
⑲ 94 ⑳ 82

51쪽

① 52 ② 83
③ 41 ④ 84
⑤ 61 ⑥ 85
⑦ 81 ⑧ 41
⑨ 72 ⑩ 42
⑪ 51 ⑫ 81
⑬ 64 ⑭ 92
⑮ 44 ⑯ 37
⑰ 82 ⑱ 91
⑲ 71 ⑳ 54

54쪽

① 30, 14, 44
② 40, 12, 52

55쪽

① 11
　 50
　 61
② 18 ③ 14
　 70 　 70
　 88 　 84
④ 12 ⑤ 15
　 40 　 60
　 52 　 75

56쪽

① 13 ② 13 ③ 16
　 50 　 50 　 80
　 63 　 63 　 96
④ 10 ⑤ 17 ⑥ 11 ⑦ 15
　 80 　 60 　 60 　 50
　 90 　 77 　 71 　 65
⑧ 12 ⑨ 12 ⑩ 10 ⑪ 11
　 40 　 70 　 70 　 80
　 52 　 82 　 80 　 91

57쪽

① 120, 7, 127
② 140, 7, 147

58쪽

① 　 3
　 110
　 113
② 　 8 ③ 　 8
　 140 　 120
　 148 　 128
④ 　 7 ⑤ 　 8
　 150 　 100
　 157 　 108

59쪽

① 　 6 ② 　 7 ③ 　 8
　 120 　 120 　 150
　 126 　 127 　 158
④ 　 4 ⑤ 　 8 ⑥ 　 9 ⑦ 　 9
　 140 　 160 　 110 　 110
　 144 　 168 　 119 　 119
⑧ 　 5 ⑨ 　 6 ⑩ 　 7 ⑪ 　 6
　 120 　 100 　 110 　 120
　 125 　 106 　 117 　 126

60쪽

① 1 ② 1 ③ 1
　 62 　 62 　 74
④ 1 ⑤ 1 ⑥ 1 ⑦ 1
　 52 　 80 　 91 　 84
⑧ 1 ⑨ 1 ⑩ 1 ⑪ 1
　 78 　 34 　 90 　 64

61쪽

① 115 ② 124 ③ 134
④ 109 ⑤ 137 ⑥ 146 ⑦ 153
⑧ 156 ⑨ 185 ⑩ 139 ⑪ 138

62쪽

① 127 ② 51 ③ 109
④ 167 ⑤ 96 ⑥ 126 ⑦ 91
⑧ 132 ⑨ 138 ⑩ 75 ⑪ 43
⑫ 52 ⑬ 119 ⑭ 73 ⑮ 139

63쪽

① 166 ② 62 ③ 92
④ 91 ⑤ 82 ⑥ 117 ⑦ 116

64쪽

① 90 ② 128 ③ 34 ④ 135
⑤ 156 ⑥ 72 ⑦ 126 ⑧ 71
⑨ 127 ⑩ 82 ⑪ 149 ⑫ 116

65쪽

① 57+62=119, 119

66쪽

① 19+24=43, 43
② 52+65=117, 117

67쪽

① 39+23=62, 62
② 16+25=41, 41
③ 37+44=81, 81

68쪽

① 52+83=135, 135
② 63+71=134, 134
③ 53+53=106, 106

70쪽

① 140, 13, 153
② 120, 13, 133

71쪽

① 15
110
125

② 12　③ 11
120　110
132　121

④ 10　⑤ 12
150　90
160　102

72쪽

① 11 ② 13 ③ 12
90　150　120
101　163　132

④ 13 ⑤ 15 ⑥ 16 ⑦ 11
110　160　130　90
123　175　146　101

⑧ 10 ⑨ 13 ⑩ 14 ⑪ 15
120　150　100　90
130　163　114　105

① 1 ② 1 ③ 1
  133   112   125

④ 1 ⑤ 1 ⑥ 1 ⑦ 1
  142   103   151   123

⑧ 1 ⑨ 1 ⑩ 1 ⑪ 1
  192   153   150   120

① 100 ② 121 ③ 132

④ 114 ⑤ 120 ⑥ 135 ⑦ 132

⑧ 172 ⑨ 143 ⑩ 154 ⑪ 106

⑫ 103 ⑬ 191 ⑭ 101 ⑮ 142

① 152 ② 124

③ 134 ④ 112 ⑤ 162

⑥ 103 ⑦ 144 ⑧ 120

⑨ 113 ⑩ 142 ⑪ 121

① 133 ② 162 ③ 166 ④ 104

⑤ 123 ⑥ 150 ⑦ 111 ⑧ 113

⑨ 126 ⑩ 137 ⑪ 117 ⑫ 121

⑬ 141 ⑭ 125 ⑮ 104 ⑯ 140

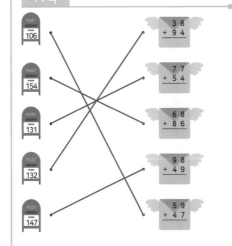

$$\begin{array}{r}47\\+83\\\hline130\end{array}\quad\begin{array}{r}56\\+77\\\hline\cancel{133}\end{array}\quad\begin{array}{r}69\\+76\\\hline145\end{array}\quad\begin{array}{r}94\\+26\\\hline120\end{array}$$

$$\begin{array}{r}55\\+97\\\hline152\end{array}\quad\begin{array}{r}66\\+65\\\hline131\end{array}\quad\begin{array}{r}78\\+90\\\hline\cancel{}\end{array}\quad\begin{array}{r}74\\+47\\\hline121\end{array}$$

168

$$\begin{array}{r}49\\+61\\\hline\cancel{}\end{array}\quad\begin{array}{r}84\\+29\\\hline113\end{array}\quad\begin{array}{r}45\\+88\\\hline133\end{array}\quad\begin{array}{r}93\\+98\\\hline191\end{array}$$

110

$$\begin{array}{r}78\\+99\\\hline177\end{array}\quad\begin{array}{r}87\\+65\\\hline152\end{array}\quad\begin{array}{r}38\\+74\\\hline112\end{array}\quad\begin{array}{r}76\\+46\\\hline\cancel{}\end{array}$$

122

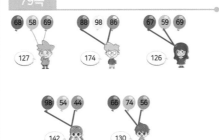

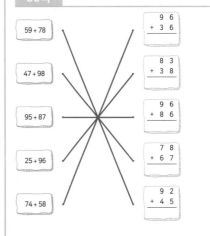

① 59+75=134, 134

① 83+39=122, 122

② 68+68=136, 136

① 87+95=182, 182

② 59+62=121, 121

③ 48+68=116, 116

① 69+73=142, 142

② 84+49=133, 133

③ 88+43=131, 131

86쪽

① 106 ② 86 ③ 133 ④ 117
⑤ 74 ⑥ 147 ⑦ 120 ⑧ 128
⑨ 126 ⑩ 165 ⑪ 81 ⑫ 80
⑬ 138 ⑭ 138 ⑮ 109 ⑯ 41
⑰ 110 ⑱ 80 ⑲ 101 ⑳ 102

87쪽

① 80 ② 90 ③ 116 ④ 80
⑤ 110 ⑥ 61 ⑦ 144 ⑧ 166
⑨ 71 ⑩ 175 ⑪ 54 ⑫ 134
⑬ 81 ⑭ 174 ⑮ 130 ⑯ 127
⑰ 126 ⑱ 100 ⑲ 95 ⑳ 83

88쪽

① 172 ② 95 ③ 67 ④ 103
⑤ 111 ⑥ 95 ⑦ 58 ⑧ 90
⑨ 102 ⑩ 137 ⑪ 95 ⑫ 100
⑬ 105 ⑭ 94 ⑮ 100 ⑯ 91
⑰ 105 ⑱ 91 ⑲ 41 ⑳ 174

89쪽

① 105 ② 177 ③ 152 ④ 93
⑤ 105 ⑥ 116 ⑦ 81 ⑧ 80
⑨ 83 ⑩ 121 ⑪ 111 ⑫ 61
⑬ 112 ⑭ 127 ⑮ 142 ⑯ 56
⑰ 125 ⑱ 100 ⑲ 107 ⑳ 107

90쪽

① 110 ② 152 ③ 60 ④ 143
⑤ 181 ⑥ 109 ⑦ 108 ⑧ 162
⑨ 60 ⑩ 63 ⑪ 70 ⑫ 150
⑬ 113 ⑭ 107 ⑮ 107 ⑯ 153
⑰ 70 ⑱ 119 ⑲ 95 ⑳ 154

91쪽

① 90 ② 124 ③ 108 ④ 141
⑤ 161 ⑥ 152 ⑦ 70 ⑧ 111
⑨ 50 ⑩ 50 ⑪ 80 ⑫ 64
⑬ 151 ⑭ 80 ⑮ 74 ⑯ 95
⑰ 98 ⑱ 145 ⑲ 132 ⑳ 105

92쪽

① 40 ② 142 ③ 166 ④ 118
⑤ 139 ⑥ 160 ⑦ 87 ⑧ 122
⑨ 80 ⑩ 60 ⑪ 147 ⑫ 71
⑬ 121 ⑭ 178 ⑮ 96 ⑯ 127
⑰ 55 ⑱ 143 ⑲ 130 ⑳ 132

93쪽

① 129 ② 57 ③ 73 ④ 115
⑤ 64 ⑥ 135 ⑦ 151 ⑧ 90
⑨ 137 ⑩ 71 ⑪ 127 ⑫ 92
⑬ 132 ⑭ 128 ⑮ 54 ⑯ 81
⑰ 149 ⑱ 107 ⑲ 115 ⑳ 124

94쪽

① 96 ② 70 ③ 80 ④ 60
⑤ 136 ⑥ 161 ⑦ 101 ⑧ 114
⑨ 116 ⑩ 106 ⑪ 80 ⑫ 65
⑬ 108 ⑭ 90 ⑮ 121 ⑯ 152
⑰ 102 ⑱ 95 ⑲ 94 ⑳ 130

95쪽

① 153 ② 143 ③ 180 ④ 101
⑤ 84 ⑥ 118 ⑦ 86 ⑧ 92
⑨ 141 ⑩ 83 ⑪ 131 ⑫ 97
⑬ 131 ⑭ 91 ⑮ 50 ⑯ 53
⑰ 119 ⑱ 93 ⑲ 128 ⑳ 60

총괄 테스트

1권 두 자리 수 덧셈

이름

점수

01 빈칸에 알맞은 수를 써넣으세요.

1000	5
100| 2	→ 529
10	9

02 빈곳에 알맞은 수를 써넣으세요.

273 373 473 573 673 773

03 몇 씩 뛰어 세었는지 빈칸에 써넣으세요.

10 씩 뛰어 세기

287 297 307 317 327

04 두 수의 크기를 비교하여 ○ 안에 >, <를 써넣으세요.

752 > 698   536 < 559

05 숫자 카드 중 3장을 골라 가장 큰 세 자리 수와 가장 작은 세 자리 수를 각각 써넣으세요.

2 7 0 5 9

가장 큰 세 자리 수	가장 작은 세 자리 수
975	205

06 빈칸에 알맞은 수를 써넣으세요.

5 7 + 3 5
87
92

07 빈칸에 알맞은 수를 써넣으세요.

3 3 + 4 8
70 11
81

08 빈칸에 알맞은 수를 써넣으세요.

2 5 + 4 9
24 1 50
74

09 계산하세요.

① 18 + 23 = 41   ② 47 + 27 = 74

③ 29 + 25 = 54   ④ 37 + 56 = 93

10 계산해 보세요.

① 26 + 34 = 60   ② 42 + 19 = 61

③ 58 + 34 = 92   ④ 35 + 49 = 84

11 세로로 계산하세요.

①
```
  3 4
+ 2 8
  6 2
```
②
```
  1
  4 9
+ 1 7
  6 6
```

12 세로셈으로 계산하세요.

①
```
  7 8
+ 6 1
1 3 9
```
②
```
  9 4
  3 4
+
1 2 8
```

13 세로셈으로 계산하세요.

①
```
  4 7
+ 2 6
  7 3
```
②
```
  7 5
+ 9 3
1 6 8
```

14 세로셈으로 계산하세요.

①
```
  5 3
+ 5 6
1 0 9
```
②
```
  3 2
+ 5 9
  9 1
```

15 사탕 한 봉지에 사탕이 36개 들어 있습니다. 사탕 두 봉지에 들어 있는 사탕은 모두 몇 개일까요?

식: 36 + 36 = 72

답: 72 개

16 세로셈으로 계산하세요.

①
```
  5 7
+ 4 7
1 0 4
```
②
```
  1
  7 6
+ 6 9
1 4 5
```

17 두 연필의 수의 합을 구하세요.

①  54 76 130

②  85 38 123

18 세로셈으로 계산하세요.

①
```
  8 5
+ 7 6
1 6 1
```
②
```
  7 8
+ 3 4
1 1 2
```

19 세로셈으로 계산하세요.

①
```
  6 9
+ 5 7
1 2 6
```
②
```
  3 8
+ 9 2
1 3 0
```

20 지영이는 책을 64쪽 읽었고, 하람이는 지영이보다 79쪽 더 읽었습니다. 하람이는 몇 쪽을 읽었을까요?

식: 64 + 79 = 143

답: 143 쪽

초등 | 수학 전문가기 만든 연산 교재

원리셈

원리
이해

다양한
계산 방법

충분한
연습

성취도
확인

○ 마술 같은 논리 수학 **매직**

전 영역에 걸쳐 균형 있는 논리력, 문제해결력 기르기

○ 생각하고 발견하는 수학 **로지카**

최고 수준 학습을 위한 사고력, 문제해결력 기르기

○ 문제해결력 향상을 위한 실전서
문제해결사 PULL UP

학년별 실전 고난도 문제해결을 위한 브릿지 학습

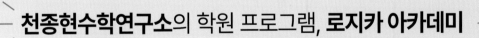

천종현수학연구소의 학원 프로그램, 로지카 아카데미

"수학으로 세상을 다르게 보는 아이로!"
"생각하고 발견하는 수학, **로지카 아카데미**에서 시작하세요."

20년 차 수학교육전문가 천종현 소장과 함께 생각하는 힘을 기를 수 있는 곳, 로지카 아카데미입니다. 생각하고 발견하는 수학을 통해 아이들은 새로운 세상을 만나게 될 것입니다. 오늘부터 아이의 수학 여정을 로지카 아카데미와 함께하세요.

▶ ▷ ▷ ▷ **로지카 아카데미** www.logicaedu.kr

천종현수학연구소의 교재 흐름도

	4세	5세	6세	7세	초1
출판 교재					
유자수 · 탑사고력	만 3세	만 4세	만 5세	K단계	P단계
원리셈		5, 6세	6, 7세	7, 8세	초등 1
교과셈					초등 1
따풀				7세	초등 1
학원 교재					
매직 · 로지카			K단계	P단계	A단계
풀업				P단계	A단계